JN103588

文脈の自由を求めて

田島正樹

NTT出版

文学部という冒険——文脈の自由を求めて

目次

プロローグ――精神の自由は知識ではない

知識は、通常〈情報〉と〈理論〉からなる。それぞれの本質・定義は難しいが、とりあえず、情報とは何らかの理論によって説明されることが期待されるもの、理論とは情報を説明することが期待されるものとだけ言っておけば十分であろう。理論によって説明されることが期待されない情報は「雑音（ノイズ）」と呼ばれ、情報とはみなされない。他方、理論は情報を意味付け説明する広い意味での仮説のことだろう。たとえば、目の前に見えていたドアは、真っ暗になって見えなくなっても同じところに存在しているだろうとか、ここからならグリーンを直接狙える距離であるとか、このようなごく普通の経験の意味は、広義の理論によって支えられている。それがなければ、経験とも言えない。

これらの知識は、これまでの経験の意味を説明するのみならず、これからの経験を予期したり、可能的経験を構造的に整理したりするのにも役立つ有益なものである。その中には、習慣によって身についたスキルやコツのようなものもあれば、概念の力によって、途方もなく我々の可能的経験を拡大してくれるものもあるが、有益である点では同様である。何ら経験を意味付けたり、現象を説明したりするのに役立たないとされる理論（魔術や占いの理論など）は空理・空論と呼ばれる。

しかし、多様な情報を合理的に説明する理論は、その有益さゆえに、それによる説明から逃れる情報を「雑音」として整理し、そのことによって世界の中で理論によって割り切れない部分を覆い隠してしまう傾向があり、そうなっては、理論の弊害も案外無視することができない。理論は自分だけでは、その限界を明らかにはできない。こうして、理論としての知識と、それによってそこだけが脚光を浴びて浮き彫りになる情報とは、互いに強化された意味の枠組みの中に、ともすれば固定されてしまう。それゆえときには、さまざまな説明や理論から距離を置く視点が必要とされるのである。

このような距離そのものは、理論でも情報でもない。世界についての認識でも、認識についての認識でもない。（人）文学がかかわるのはここだ。文学は理論や情報のいずれでもない。文学がかかる知識や学知でないとしたら、文学で一体何を学ぼうとするのか？

そんなわけで、情報でも理論でもない文学には、常に深い疑惑の目が向けられてきた。我々の考えでは、文学というものは、文脈というものと深くかかわっている。そして、文脈というものが自由と密接不可分であることを、以下述べていくつもりである。かくて、我々の論述は、その目標（自由）からすれば政治哲学であるが、その素材からすれば美学・芸術哲学ということになろう。

しかし、そのさい何か「文脈の理論」のようなものを提示すべきだろうか？　もしそんな理論を提示しても、その理論は、それ自体文脈に即した妥当性を持つものであり、あらゆる文脈において、あるいは文脈を超えて、普遍妥当性を持つものではないだろう。たしかに、構造主義的理論、マルクス主義的分析、精神分析的分析、説話類型論などのように、文学研究にも文学理論と言えるものがないわけではない。しかしいずれの「理論」も、作品にとって外的な真理性を持つものではないし、その有効性の文脈を離れて妥当するものでもない。むしろ、その妥当性はもっぱら個々の作品の分析に負う。

だから、以下でも我々は、常に個々の作品に対する分析を参照しながら、ちょうど作品論をつなげるように哲学的考察を進めるべきだろう。こと「文脈」という主題に関して、文脈超越的な普遍理論を提出することは、いかにもばかげていよう。我々の主張が常にどこでも絶対的に妥当する理論ではなく、文脈によってはまったく別の主張も十分に展開可能なものであることは、我々の論述の欠陥ではなく、事柄そのものに伴う必然なのである。美学・芸術哲学は、芸術一般の普遍的理論でも、美の形而上学でもあり得ない。

以下の叙述の道案内として、どのようなトピックがどのような位置づけと役割を担って取り上げられるのか、あらかじめ素描しておくことが有益だろう。我々の叙述は、本論から各論へ、また定義から演繹へと直線的に進むものではなく、事例と事例とから、さながら星と星とから星座を結ぶように進むものだから、その最後に現れてくるはずの理論的構図は、それが浮き彫りになるまで、長く息を止めて潜水を続けるように、読者に忍耐を強いかねないからである。

我々はそもそも大学が（人）文学部に始まるものであることを見るために、12世紀のヨーロッパの大学の誕生の経緯をたどる（第1章）。そこではテクストの解釈の技術としての弁証法が、いかにして人々の精神の解放を促したかが示される。

続いて、そこで培われた文脈の意識から、近代精神、とりわけ近代小説の批評性が生まれた事情を論じる。そもそも文学は、主人公の固定観念が打破される展開に主眼を置いている。それによって世界は、当初思いもかけなかった可能性へと彼を導くのだ。そのために、一見すると自然で当たり前と思われていたものを、異化して見せなければならない。我々は、近代文学のとっかかりに登場した『ドン・キホーテ』と『ハムレット』が、いずれもそれぞれ別様の形で、現実を異化する装置を体現していることを見ることになるだろう（第2章）。

近代芸術は、世界の意味や価値の自明性が失われた所から出発した。市場経済の進展と共に生じた物象化現象が背影にある。物象化とは、労働力が商品化される社会において、人と人の関係が商品交換のような物と物の関係と見なされ、他方物の中に、貨幣の購買力（流動性）や資本の増殖力のような神秘的本性が宿るかのように現象することを言う。近代芸術は当初分業と物象化によって分断された世界に、生きた「全体性」を回復することをめざした。

とはいえ「全体性」という近代芸術の理想は、ほどなく断念されていく。その中でなお生きつづけているものは、もはや世界全体の表現ではなく、「経験の全体性」でありその実質は、現象を有意味に浮き彫りにする文脈を、そのつど発見することであると論じる（第3章）。それによって、「経験の全体性」の議論が、「文脈の自由」に結びつくはずだ。

第4章では、文脈的意識にとって障害として立ちふさがる進化論的言語論・文化論を批判して、それとの対比で精神分析的言語理解を参照する。その結果、適応ばかりに流れる進化論的思考に対して、にわかに適応不全という主題があらためて浮上するのに立ち会うことになろう。「あらためて」と言うのは、それ以前に我々がことに触れて言及した多くの文学作品において、すでにこの主題は姿を変えつつ現れていたからである。

つづく第5章では、近代芸術に本質的に含まれる批評性から芸術批評が独立してくる経緯を論じ、特にベンヤミンの批評観を参照する。

さらに、実際の小説の批評として、カズオ・イシグロ氏の作品を取り上げ、それとの対比で、大童澄瞳氏の作品の現代性を論じる（第6章）。これが一応の筋書きである。

一方で、文学が作品を骨董品のように鑑賞することにとどまらず、他の知的諸領域をつなげる洞察をもたらし得ることを強調するために、しばしば領域横断的に諸事例に言及することになるだろう。このような考察が、学問の専門性をないがしろにしたディレッタンティズムの嫌疑をかけられがちであることは承知しているが、事象そのものがすでに途方もない規模でかかる越境を冒しつつあるとしたら、それに対応するためにはやむをえまい。

かといって、「学際的」と銘打った研究が、それに適切に対応する用意があるとも思えない。「最新の学的成果」の断片の寄せ集めだけでは、何の役にも立たないからである。

本書は、（人）文学の本質を「文脈の自由」というささやかな可能性の中に探ろうとしていく。「文脈の自由」とは、言語表現がどんな文脈でも適用できるということではない。ある表現が、決まりきった文脈でつまらない決まり文句に流れる場合もあるし、突拍子もない文脈に適用されて、まったく意味不明な発話に失速する場合もある。しかしときには、そのいずれでもなく、時宜を得たジョークや機知のように、思いがけない文脈を見出し新鮮な意味を発揮することがある。我々が「文脈の自由」と呼ぶのは、このような意味理解と経験可能性の拡大のことである。

我々の自由は、すべての状況から独立した何か形而上学的な不滅の原理などではなく、個々の発話状況、つまり文脈の自由という、実にはかなく、ほのかな形でのみ現れるのを示すことになるだろう。

このような事情への洞察は、とりわけ近代芸術の批評性と密接不可分に結びついたものである。我々が文学一般（あるいは芸術一般）を論じる場合ですら、近代文学という足場を忘れることはできない。とりわけそこに顕著に表れている批評性ということから、文学一般を論じることが可能になるのである。それゆえ、はじめに近代文学・近代芸術の出発点を求めて、ルネサンスに立ち返ることにしよう。

第1章 文脈——テクストと実存をつなぐもの

1 大学の始まりと12世紀ルネサンス

ギリシア・ローマの古典古代は、ゲルマン人の侵入によって塵灰と崩れ去ったと言われる。もっとも、ローマに侵入したゲルマン人は速やかにローマに同化を果たし、そこにはまだ地中海の古代世界が強固に根を張っていたという意見もある。それらのものの息の根を止めたのは、7世紀に急速に拡大してきたサラセン人の地中海覇権だというのだ。それ以後、地中海交易の重要性が後退し、北方に文化的拠点が移動するカロリング朝に中世の開始を見るのである（いわゆるピレンヌ・テーゼ）。

古代地中海文明の終焉を、5世紀に置こうと8世紀に置こうと、またその原因をゲルマン人としようとサラセン人としようと、いずれにせよ、カール大帝以後のなお何世紀にもわたって停滞の時代が続くが、そこにようやく文明の影が差し始める。いくつかの文明復興の時期が歴史家によって指摘されているが、近年注目されているのは12世紀であろう。それはヨーロッパが自分自身の価値に目覚め始める時期である（たとえば、ヴォルフ［2000］『ヨーロッパの知的覚醒』、ルーベンスタイン［2008］『中世の覚醒』、ハスキンズ［2017］『12世紀ルネサンス』など参照）。

農業生産力に注目するならば、11世紀が鉄製の鋤や馬を使った農業技術の改革で目立つし、教会建築とスコラ哲学でなら13世紀こそが中世を代表する時代と見なされるかもしれない。

しかし、いま大学ということに注目するなら、ヨーロッパの最古の諸大学が設立されたこの時期が際立った重要性を帯びてくる。13世紀に完全な開花を迎えるヨーロッパ中世文化の出発点は、みなこの時代にあったとさえ言えるだろう。

「12世紀ルネサンス」と呼ばれるほどの目覚ましい覚醒は、いったい何によってもたらされたのか？　ひとことで言うなら、それはイスラム圏からの文化的インパクトによるものである。もともとこの時期は、イスラム圏の方がヨーロッパ圏よりもずっと各種の文明において先んじていた。ところが12世紀になってアラビア語圏に伝承されていたギリシアの文献、ことにアリストテレスの文献がラテン語に訳されてヨーロッパに入ってきた。それが、西ヨーロッパに文化的起動力を与えたのである。

この様子をいきいきと思い描くために、12世紀を代表するヒーローであるアベラールの場合に注目するのがいい。

2　自由学芸の英雄アベラール

エロイーズとの不幸な恋愛で有名なアベラール（1079－1142）が、パリのセーヌ河岸で弁証法の講壇を開いたとき、まだパリ大学は存在していなかった。アベラールは、才能豊かな野心的な学者であった。アベラールの評判はたちまち広がり、雲霞のように学生が集まる。ここで「学生」というのは、旅行しながら「学問修業」を積む自由人――農地や領地を継ぐ権利を持たない次男三男であるため、都市に生活の場を求めたあぶれ者たちを指す。というのも、その頃は大学が存在しなかったのだから、学籍というものもないからである。

それまでにすでに、法学、医学、神学の専門学校のようなものは存在していたはずである。封建的権力が整備されるにつれて、当然、統治のための法実務が増えてくる。したがって、その専門家としての実務官僚の需要も高まる。教会制度も同様だ。僧侶も一種の専門職として官僚化してくると、そのための専門知識も位階も整序されてくる。医者の修業に対しては言うまでもない。こうして、それぞれの専門分野ごとに「知識人」の養成が必要となってきただろう。そこから各種の専門学校もできていたのである。

しかし、それはまだ大学という組織にはなっていなかった。ところがそれらは、やがてアベラールのような自由学芸の人気にあやかろうとして、一つの団体になることを望んだ。これが大学の始まりである。他の都市でも、これと似たようなことが生じたはずだ。

アベラールが講じた弁証法とは、広い意味での論理学であり、アリストテレスの論理学を、最新の学問として紹介するものであった。ことに当初、アリストテレスのテクストの中でも、オルガノンと呼ばれる部分、『分析論』『カテゴリー論』『命題論』などが紹介された。のちに自由学芸七科と呼ばれる中で、言語にかかわる三科（論理学、文法、修辞学）のひとつであり、とくに弁証法と呼ばれる論理学的部門でアベラールは評判になった。では、何がアベラールの講義の魅力であったのか？

これら三科は、すべてテクスト解読にかかわる技法である。我々から見ると、一見無味乾燥と見えるような学問。そんなものがなぜ、中世の学生を熱狂させるほど魅力的だったのか？

当時、テクストは極めて高価で、ごく少数の者だけがアクセスできたものである。そこで、テクストにはおのずから神秘と権威がつきものとなる。我が国に伝来した仏教経典を例に考えるだけで十分だろう。ほとんどの人には理解不能な漢語やサンスクリット語（梵語）が、呪文のように唱えられ、神秘的な権威づけに使われてきた。

これに対して、言語学的三科（論理学、文法、修辞学）は、テクストの解読を誰にとっても手に届くものにし、とりわけ自由に解釈可能なものにした。読解の技法さえ身につければ、制度や身分に規定された権威とは無関係に、誰でも自分の解釈をすることができる。これは、テクストとその読みの秘伝によって守られた「神官」の、権威主義的制度を突き崩す可能性を持つのである。

実際、「神官たち」の権威主義を突き崩すために、テクストの権威に訴えることは、我が国の儒教でも、荻生徂徠の古文辞学において起こったことであった。徂徠は、朱子学の権威に対抗するために、古代中国語を厳格な読解技術で解読する独自の実証主義的方法を開発したと言われる。そのために彼は、古代の「聖人」たちを神格化する必要があった。聖人の超越的権威の承認が、テクストの解読の厳密な実証主義と結びつき、解読の革新に導くところが興味深い。そして、その論理的骨格は、本居宣長の国学にイデオロギー的内容をそっくり入れ替えたうえで、つまり異なる文脈で受け継がれた。儒教一般を「からごころ」として批判し、皇祖神を古代中国の「聖人」に代えて絶対化することによって、実証的な文献解読を本居宣長は目指したのである（丸山眞男［1952］『日本政治思想史研究』第1章第4節参照）。

中世の学生たちにも、それと同じような状況が存在したに違いない。彼らは、言語的学問によって、知識を独占する権威筋と対決する手段を手にしたのである。

我々が、プラトンでもヘロドトスでも何でもいいが、いくつかギリシアのテクストに親しんだ後で中世のテクストを手にすると、何よりそのスタイルに辟易してしまうだろう。何を論証するにつけても、いちいち論拠として挙げられるのは、何らかの権威あるとされるテクストである。彼らは何一つ、自分の判断だけでは歩み出すことができないかのように見える。それに対して、ギリシアの著作はもちろん、アウグスティヌスの作品でさえ、はるかに「ギリシア的」と言える。つまり自由に率直に自分の判断を繰り出し、その意味では素人的な印象さえ与えるのである。この素人的な印象こそ、ギリシア人に特有な精神の自由の証そのものであり、ギリシアを愛好する者にとって、ギリシア古典を一段と魅力あるものにしている香りである。

それに比べると、中世の著者は堅苦しく権威主義的で、いわば官僚的な印象を与える。しかし、これを権威主義の所為だと考えるのは間違いだ。むしろ、彼らが一段と強力な権威と闘おうとしていたための武装だった、と考えるべきなのだろう。論争が熾烈なところ、記述は厳密さが要求され、些末なまでに完璧さが求められる。かくて、恐ろしく堅固な理論装備で武装して、付け入られないように小難しい議論が続くことになるわけである。

三位一体をめぐる瑣末な議論では、どちらに味方したらよいのか迷う人も多いだろう。時代を隔ててみると、どちらが味方でどちらが敵なのか、なかなか読み解くのが難しい。ちょうどスターリン派とトロツキー派のイデオロギー理論闘争や、「講座派」と「労農派」の論争のようなもの。それらが無意味というのではない。ただ、後世になると、その当時の論争の文脈を理解するのが難しくなるというだけだ。いずれにせよ、権威と闘うために、権威あるテクストに助けを求める、という構造は変わらない。

しかしながら、こうした権威あるテクストは、それだけではその時代の諸問題を裁くのに、ただちに役立つものではない。次々に社会的に新しい問題が生起してくるからであり、また、少なくとも一見したところ、それらのテクストはしばしば互いに矛盾するところがあったからである。それ故、これらを整合的に合理的に理解し、多くの新しい問題に対処するために、かなり自由な解釈をすることが求められたわけである。

3　アリストテレスの弁証法

アベラールをはじめとする中世スコラ哲学が、自らの出発点となった論理学的探究を「弁証法」と呼んだことについて一言述べておこう。

アリストテレスは、論理学的探究を大まかに二つに分けていた。一つは、主張の内容にかかわらず、もっぱらその推論形式からその妥当性が証明できるような言語の形式的構造を記述するもので、それに関する議論はアナリティケー（分析論）と呼ばれる。形式論理学と呼ばれる領域である。

もう一つは、そのような推論の基礎になる大前提、定義、本質洞察を求めるための議論にかかわるもので、ディアレクティケー（弁証法、弁証論）と呼ばれる。なぜそう呼ばれるかといえば、対話で相互理解が滞ったとき、単に意見の対立のみならず、用語の意味理解にまで対立が広がるからであり、そのとき、用語の再定義が求められることになるからである。したがって、対話の停頓（相互理解の困難）と、本質への問い、概念再定義の問いは、不即不離の関係にあるわけだ。

それをアリストテレスは、「通念（エンドクサ）から出発する議論」と呼んだ（［1970］『トピカ』第1巻第1章）。ここから、アリストテレスは弁証法を、一般的な学知より一段低いもの、一種の詭弁論のようなものとしていた、と見る人がいるが（カントやハイデガーもその一人）、それはまったくの誤解である。

アリストテレスは、この点できわめて独創的で画期的なアプローチを発見した。それは、プラトンのように、本質を瞑想の中で想起したり、直観したりしようとするのではなく、それについて人々がどのように語っているか、その言語使用を広く集めることから始めるものである。

これによって、イデアの本質直観に付きまとっていたさまざまのアポリアを回避することができた。実際、対話で共通理解がないことがわかったとき、本質直観（フッサールが「形相的還元」と呼んだもの、またはプラトンの「想起」）が何の役にも立たないことは明らかである。

たとえば、「時間」をめぐって意見の対立が起こり、それを再定義する必要が生じたとしよう。もし「時間」の意味がまったく不明であれば、いったい何についてその定義を求めたらよいのだろう。もしそれ（「時間」と呼ばれるそれ）がわかっているのなら、再定義など不必要になるだろう。だが、もしそれがわからなければ、そもそも再定義自体が不可能になる。どのようにも、何を探究したらよいのかわからない。これが探究のアポリアと呼ばれるものである。探究しようにも、プラトンはそこで、時間のイデアを想起するのだと考えた。たしかに、美の判断などであれば、そのような見方にも一理ある。美的判断においては、美の共通本質がわからなくても、あるいはいまだ美しいものを経験していなくても、美しいという判断は可能だからである。美は一種のパタンであるとは言えないのだ。

しかし美のイデアを直観するために、何を直観すればいいのか、どうしてわかるであろう？　人によって異なる美のイデアを観想していないという保証はあるだろうか？　それぞれのイデアを美のイデアと見なすために、イデアのイデアが必要となろう。また美の本質を、美しいものに共通するものと見なし、美しいものをたがいに類似することによって取り集めようとしても、アポリアを逃れることはできない。美しい絵画と美しくない絵画の類似性は、美しい絵画と美しい音楽の類似性よりも小さいとは思えない。類似性は、どの点において類似しているかを語らなければ、ひとつの集まりを構成することはできず、また、いかなる点で類似しているかを語ることは、まさに「その点」の一義的・本質的理解を前提とするのである。

したがってまた、本質を事例（たとえば美しいもの）から抽象することによって与えようと考えても同様である。事例から本質を抽象するためには、どの事例が当該の正しい事例であるかをすでに知っていなければならないが、そのためにも、すでに本質を認識しているのでなければならないということになるからである。抽象説は論点先取を犯している。これが「抽象のアポリア」である。

しかし、アリストテレスのアプローチを取れば、それらを回避できる。なぜなら、実際どのように当の言葉が使用されているかを知るために、その本質を知っている必要はないからである。ただ、その用語の使用実例をできるだけたくさん収集してくるという経験的探究が可能なのだ。あとは、それらの用法において一見したところ矛盾しているかのように見えるものが、同じ事態についての違った視点、または違った関係において語られたものでないかどうか考察すればよい。

実際アリストテレスは、各学問分野について論じるさい、大抵その学問の基本的諸概念について、それまでどのような学説が流布してきたかをサーヴェイすることから始めている。この部分（たとえば、『自然学』第I巻第2章〜第II巻第1章、『魂について』第1巻第2章）は、決して単なる思想史的興味に基づくものではない。思想史は、これら諸概念の意味や本質理解を前提としたうえで、それらについて歴史的に、どのような意見が述べられてきたかを省みるものであるが、アリストテレスがやっているのは、まさにこれらの概念の意味や本質についての（再）定義を与えることなのである。なぜなら、本質定義を独断的に前提することはできないからである。それらについては、すでに諸説が対立し争い合っている。あまりに意見が対立しているために、そこに共通の理解があるかどうかが疑問に附されるような事態（弁証法的対立状況）。再定義が求められるのは、これらの諸説の間を調停したり、対話可能にするためである。その結果、「自然」の定義として、「自らの内に運動の原理を持つもの」が与えられ、「魂」の定義として、「可能的に生命を持つものの第一の現実態」という定義が与えられた。

これらに関して諸説が互いに矛盾するように見えるのは見かけ上のことにすぎず、実際には、その対立を超えて、それらの背後に同一の事態（「一者」と呼ばれる）が関わっており、一見したところの矛盾は、その事態のそれぞれ一面的な捉え方によるものにすぎないことが明らかになるなら、その対立は解消されるだろう。

たとえば、「健康的」とは、ある種の食べ物について言われる場合と、人の顔色について言われる場合とでは、違う意味を持つと思われるかもしれない。しかし、もし「健康的」の中心的意味（一者）が身体の調和的生命活動ということにあるとすれば、一方はそのための原因として、他方はその結果として「一者との関係において（プロス・ヘン）」語られることがわかる。こうして不整合性の見かけは解消される。

このような弁証法が、アベラールにとって大きな意味を持ったことは容易に理解できる。何かにつけ、権威のあるテクストを参照する「権威による論証」が幅を利かせる所で、権威ある諸説（それらいずれもがキリスト教の根本精神とは矛盾しないと信じられているもの）にたいして、全体として整合的な解釈を与えることが当然期待される。こうして、諸問題について、それぞれにプロ（賛成）とコントラ（反対）のテクストを参照しつつ、それらを矛盾なく、それぞれに、（たとえ一面的ではあっても）合理的な主張として解釈できるような説明を与える、ということが求められるのである。このさい、それぞれの権威あるテクストが、いずれも単に不合理なことを主張しているはずはないだろうと見なす「好意的解釈の原則（principle of charity）」が働く。これは、合理的な意味解釈を追究する限り、アプリオリに前提せねばならない根本原理なのである。

4　新たな文脈を補う解釈

そればかりではない。ギリシアの文献は、中世社会においてはほとんどが元の文脈の失われてしまったものである。ギリシアにあった裁判制度もなければ、政治家の演説する民会もない。したがって、ソクラテスの弁明も、マケドニアとの戦争を訴えたアテナイのデモステネスの反フィリポス演説も、それを理解する社会的文脈はまったく失われている。もともとギリシアにあっては極めて重要だったレトリケー（修辞学）など、中世社会ではどこにも使い道がない。それでもヨーロッパの人たちは、それを重要な伝統として保存してきたのだ。

旧いテクストを解読するためには、社会的にはまったく失われた制度的文脈を想像力で補ってやる必要がある。そこで、テクスト読解は、単に文法的な技術にとどまらなかった。むしろ、失われた文脈を補うこと、さらには本来の文脈を超えて、新しい文脈を発見すること、そうしてテクストの意味を創造的に拡張する試みを誘発していったのである。このことは、特に神学において威力を発揮した。

アベラール自身、弁証法で人気を獲得した後、神学にも進出した。神学こそは、当時の中心的イデオロギーとして、権力闘争の中心に位置する学問であり、そこに進出することは、アベラールの大きな野心であり、また同時に、それが巻き起こす危険を伴うものであっただろう。

しかしともかく、アベラール自身、自分の解読技術によって、聖書解釈にも大いに独創の余地があると自負していた。権威に頼ることなく（とはいえテクストの権威に頼ることによって）解釈する自由を実感した彼の学生は、それだけで新しい世界へのカギを手にした思いがしたことであろう。

彼らが手にしたテクストは、ギリシア・ローマ古典と聖書をはじめ、アウグスティヌスのような古い教父たちのものが含まれていた。それらはいずれも、その同時代の文脈を失っていた。ギリシアのポリス世界も、その裁判制度も、またイエスが生きたパレスティナのローマ世界も失われていた。テクストは、さながら廃墟に残された瓦礫のように、同時代に持ち得た意味をことごとく失ったものとして残されていた。それゆえ、その解読とは、そのしばしば断片的なテクストに、文脈を補うことを含んでいたのである。

どのような文脈を見出すかによって、その読解にかなりの自由度が生じる。これが、古い知的権威に対する彼らの大胆な挑戦を可能にしたのである。

こうしたことは、一般の法律の適用に際しても、多かれ少なかれ生じることであろう。法律が直接は規定していないことに関しても、ときにはその法の立法の主旨や、その背景となっている「政治哲学」（憲法の精神）に立ち返って、柔軟な解釈をする必要があるからである。実際、ユダヤ教やイスラム教においては、神学は律法（解釈）学と一体になっている。

5 キリスト教のテクスト

しかしここにもう一つ、キリスト教の特殊性という要因が付け加わる。神と人との間の関係について、キリスト教はユダヤ教やイスラム教よりずっとわかりにくい教義を保持している。周知のように、キリスト教内部で三位一体の教義、とくに神であると同時に人であるイエス＝キリストの存在性格をめぐって、熾烈な闘争がくり広げられた。ところが、実際には聖書の冒頭には、イエスの言行録を記した『福音書』と呼ばれる奇妙なテクストが置かれている。この文書は、教義を明確にして論争に決着をつけるどころか、かえって訳の分からない状況へと拍車をかけてきたと言えるだろう。福音書で描かれたイエスの姿は、パウロが『ローマ書』で明確に規定した教義より、ずっと謎めいたものであり、多様な解釈を許すものであった。

福音書の成立——田川建三氏の議論

何のために、またどのようにして、このような文書が聖典の冒頭に置かれているのだろうか？　そもそもの出発点となったのは『マルコによる福音書』（以下『マルコ』）である。それまでイエスの言行録という福音書のような文学様式は存在していなかったのだ。いったいマルコは、どうしてこのような様式で独自な文書を書くことになったのか？　この問題に肉薄している聖書学者として田川建三氏がいる。氏の議論は、極めて厳密な実証的なテクスト解釈に基づくものだから、私にはそれを吟味する力はないが、すこぶる興味深いものであるから、理解できる限りで紹介しよう（田川［1968］『原始キリスト教の一断面』）。

四つの福音書のうち、かなり後年に独自に編纂された『ヨハネによる福音書』（以下『ヨハネ』）を除くと、『マタイによる福音書』（以下『マタイ』）と『ルカによる福音書』（以下『ルカ』）は、もともと教団に残されていたイエスの言葉の断片からなるQ資料と呼ばれるものと『マルコ』をもとに、それぞれ異なる観点から編纂されたと言われる。つまり、『マタイ』はユダヤ人に向けて、『ルカ』は異邦人たちに向けて書かれたものとされているようである。

田川氏によれば、初めに福音書を書いたマルコは、すでにエルサレムで活動を始めていた原始キリスト教団の中央に対して、違和感を持っていた。

ほとんど現在の福音書のテクストだけを手掛かりにして、どうしてそのようなことが言えるのか、その議論はとてもエクサイティングであるが、私自身それを評価する力がないから省略することにして、重要なことはマルコが、それに対して異説を展開したり、異なる教義やイデオロギーを提案したわけではないということである。それは、マルコ自身、イエスとは何かがよくわからなかったからである。

マルコは、自身がイエスを直接見ているか、それともガリラヤ湖畔地方でイエスを直接見聞きした人々から多くの証言を得ていたと言われる。そのため、彼は自分が見たイエスを描いてみて、読者に判断を仰ごうとしたのである。私が見たイエスは、どうもエルサレムの連中が言い伝えているイエスとはかなり違うようだ。私自身、イエスが本当のところどのような存在であったのか、いまだに判断がつきかねている。だが私は、このようなイエスを見たのであり、ガリラヤの仲間たちから聞いた話でも、このように伝え聞いている。それを読んで、あなた方はどう思うか、イエスをどのようなお方だと思うのか？　こうマルコは問いかけたかったのだろう。

イエスの喩え話の文脈

実際、もともとイエスの存在は、神性と人間性とを併せ持つという何とも理解しにくい複雑さを持っていた。それが繰り返し論議を呼んだのも当然だろう。三位一体をめぐる一見些末な議論も多くはこの問題をめぐっている。東西教会分裂も、山田晶によれば、「精霊が父なる神から発するのか、それとも父なる神とキリストからも発するのか」というキリストの位格をめぐるちょっとした解釈の違いがきっかけであった（山田［1986］『アウグスティヌス講話』）。前者は東方教会、後者はローマ教会の立場である。一見些末に見える問題にも、キリスト教の根本問題が隠されていたのである。

しかし、問題はそのような教義の内容だけではない。キリスト教の独自性は、むしろ神のメッセージが人間に伝達されるその仕方、言い換えればそれを受け入れる人間の側の理解様式自体が、その教義内容に含まれていることであろう。『福音書』には、もともとイエスのメッセージの中に、それがどのように伝達され、またどのように理解されねばならないのかについてのメタ・メッセージを含んでいたことが多くの箇所に示されている。

福音書に描かれているイエスは、しばしばたとえ話に訴えている。それはなぜなのか？ もともと善と悪が明確に語り得るものであれば、それについて間違いようのない仕方で、誰にでもわかるように説くことだけが問題となるだろう。

でも、イエスが置かれた歴史的状況は、そのようなものではなかった。旧約聖書の神は、モーゼの前に守るべき掟を置いた。いわゆる十戒である。以後ユダヤ人は、この掟ならびにそれをより詳しく規定した律法の遵守に、信仰の中心を置いてきた。

しかし、やがてエルサレムがローマ帝国の版図に入れられ、ローマの権力と癒着したユダヤ上流階級（サドカイびとと呼ばれる）に反対して、より厳格に律法を遵守することによってユダヤ教を立て直そうとする革新派が出てくる（パリサイびとと呼ばれる）。パリサイびとはイエスとの対決でしばしば福音書に登場するが、一見したところ彼らがどの点で対立しているのか、明らかではない。それも当然、彼らはいずれも旧約聖書やモーゼの律法の権威を承認しているのだから。

ところが現実には、正義の原理であったモーゼの律法すら、パリサイびとの手にかかると、律法を遵守できないアウト・カーストの人々を差別し抑圧する手段になってしまうのである。

売春婦、取税人、ハンセン氏病や精神病の患者などである。

たとえば、安息日に病人を癒したイエスをパリサイびとが咎めだてる場面がある（『マルコ』3章〜）「安息日は人のためにあるので、人が安息日のためにあるのでない」（同2・27）とイエスは語る。本来は人のためにある律法が、パリサイびとによって「安息日のために人がいる」かのような倒錯に陥っているのである。つまり、安息日の律法が、それを遵守できない最下層民の差別と抑圧の口実に利用されてしまっている。イエスは、このような倒錯——律法の物神化と闘っている。それゆえ、律法の文字通りの遵守が、場合によってはかえってその根本精神の裏切りになることを示そうとするのだ。イエスのたとえ話は、このような状況で律法の本来の精神を取り戻すという複雑な戦略の下に使用されるのである。

たとえば、有名な「良きサマリアびと」のたとえ話（『ルカ』10・25〜）。追いはぎにあった旅人を見ながらそばを通り過ぎていったレビびとや律法学者と、旅人を丁寧に介抱したサマリアびととの対比が語られる有名なたとえ話である。そこに、ただ「隣人愛」というメッセージを読み取るだけでは、肝心のポイントを見失うことになるだろう。なぜなら、この話を聞かされているパリサイびとも、隣人愛を実践したサマリアびとを「善し」と判断する点では、イエスとまったく同じだからである。

しかし、この逸話の眼目は、そのような隣人愛を説く律法をどのように受け取り、理解するかという理解様式の違いをあぶりだす点にあるのだ。というのは、ここでイエスはパリサイびと対話し、対決しているからである。その対立は、一見したところ目立たない。律法の根本がまさに隣人愛であるというパリサイびとの判断を、イエス自身が肯定しながら「あなたの答えは正しい」(同10・28)、「あなたも行って〔サマリアびとと〕同じようにしなさい」(同10・37)と、同意しているように見えるからである。つまり、メッセージ上は両者の対立は目立たない。

ところが実は、イエスのたとえ話は、まさにこのメッセージがどう理解されるべきかについての、メタ・メッセージにおける深い対立を浮き彫りにするための仕掛けなのである。律法というテクストの根本教義が、隣人愛というメッセージであると頭の中では理解しながら、現実の生活の文脈の中にそれを生かし実践しようとしないパリサイびとこそ、イエスのたとえ話の中に出てくる「レビびと」「律法学者」――強盗にあった気の毒な旅人を見捨てて通り過ぎようとする連中なのである。そのことは、実はすでにイエスのたとえ話の中に暗黙の形で表現されていたのに、パリサイびとはそのことに気づかない。それも、「隣人愛」を、経典の中だけのどこかよそごと、ひとごとと思ってしまうからである。パリサイびとの特徴は、このように教義内容とそれを理解する主体との連関を、ひとごとのように見なしていることなのである。あるいは言いかえれば、理解されるテクストの内容の外に理解主体が身を置いてしまい、その結果、自分自身の姿を見失う点にある。

旧約聖書の律法の中にあった「隣人愛の教え」を読み取るパリサイびととイエスの立場は、単に学説や理論のように客観的に語ることはできない。その言説を自らの生活の中のいかなる文脈において生かすのかが問題だ。その点で、パリサイびととイエスとのテクストの読み方の違いを浮き彫りにする戦略が必要となる。つまり、テクストの意味内容の理解が、単に客観的に確定したものとしてではなく、解釈者の実存的スタンスにおいて帯びる文脈的関係が、テクストの意味内容自体に反映するのである。

6　福音書における読者の主体性

ザーカイの場合

この点を一層鮮やかに示す事例が、取税人ザーカイの逸話（『ルカ』19章）である。取税人という「罪深い」職業にあったザーカイは、自分がとても救われないということを強く意識していた。すでにここに、律法のテクストとザーカイの実存状況のかかわりが問題になっている。

それでもザーカイは、そのように「罪深い」人々にも救いの手を差し伸べているというイエスの噂を聞きつける。そして、イチジクの木に登って、その葉陰からイエスを盗み見ようとする。それをイエスはすぐに見つけて、「ザーカイよ、急いで降りてきなさい。今日、あなたの所に泊まるつもりだ」と呼びかけたというのである。

いたずらが見つかった子供のように、照れ笑いを浮かべて頭を掻きながら木から降りてくるこの男の、いくらかユーモラスでほほえましいエピソードは、そこで単に客観的な教説内容ではなく、ザーカイの人格を浮き彫りにしている。初めザーカイは、律法世界の外部から客観的に見ている。イエスの出現も、それを突き崩すことはない。彼にとって、イエスの言説は所詮よそごとでしかないからである。しかし、よそごとと思っていたイエスの言説が、直接ザーカイを招き入れること、そしてそのときのザーカイの戸惑いが、おかしみを生み出しているのである。

それでも、単にイチジクの葉陰に隠れているのがザーカイだけであるとしたら、大した衝撃はないかもしれない。葉の陰に隠れているザーカイのさらに陰に隠れながら、イエスを盗み見ている者の存在、ザーカイに注がれたイエスの眼差しの先に、なおその眼差しが注がれている者の存在——つまり我々読者の存在が忘れられたままであるとしたら、このテクストの含蓄はまったく読み飛ばされてしまったことになるだろう。

志願兵を募集するアメリカのポスターに、アンクル・サムが描かれたのがある。シルクハットをかぶった派手な格好の男がこちらを向いて、人差し指を突き出している図柄である。これは、国家が直接その臣民に呼び掛けている姿である。それと同じように、ただしそれよりずっとひそやかな声で、イエスの眼差しは、それを理解してしまった人に向かって呼び掛けていたのだ。このように、福音書のテクストは、それを読む姿勢において、密かに読者自身の実存が召喚されている所に、その独自性があると言えるだろう。

うわの空に響いていた言葉が、ある文脈で突然主体の存在を巻き込み、それによってはじめて思いがけない照明をもたらすということを示すために、私がしばしば引き合いに出してきたのが「ペテロの否認」として有名な聖書のエピソードである。

ペテロの否認

ペテロは外で中庭に座っていた。すると一人の女中が彼の所に来て、「あなたもあのガリラヤ人イエスと一緒だった」と言った。するとペテロは、みんなの前でそれを打ち消して言った、「あなたが何を言っているのか、わからない」。そういって入口の方に出ていくと、他の女中が彼を見て、そこにいる人々に向かって、「この人はナザレ人イエスと一緒だった」と言った。そこで彼は再びそれを打ち消して、「そんな人は知らない」と誓って言った。しばらくして、そこに立っていた人々が近寄ってきて、ペテロに言った、「確かにあなたも彼らの仲間だ。言葉使いであなたのことが分かる」。彼は「その人のことは何も知らない」と言って、激しく誓い始めた。するとすぐ鶏が鳴いた。ペテロは「鶏が鳴く前に、三度私を知らないと言うであろう」と言われたイエスの言葉を思い出し、外に出て激しく泣いた。

(『マタイ』26・69〜75)

イエスがいつかどこかで語った「お前は三度私のことを知らないと言うだろう」は、それが語られたときには、聞き流されていた。それがいかなる文脈で意味を持つのか、想像もつかなかったからだ。イエスの他の言葉と同様、その真意が不明なまま、あるいは表面的にだけ理解されたつもりで、心に留められることもなく、弟子たち皆に聞き流されていたのである。

イエスが捕縛され、弟子たちが散り散りバラバラになる。彼らはそれぞれに異なったやり方でイエスとのかかわりを否定して生きていかざるを得なくなる。若き日の過ちとして、愚かしい気の迷いとして、記憶からも消去されていった。もちろんそれとともに、イエスのさまざまの言葉も忘却の淵に沈んでいく。弟子たちは各々の仕事に明け暮れ、それぞれに人生の快苦を積み重ねていく。それらの日常の出来事は、その時々には重要な意味を持ち、不可欠のものにも見えるけれど、全体として見れば取り留めのないものであり、空しいものであることがわかるかもしれない。

ペテロは、そのように取り留めのない人生の日々を送るうちに、やがて、忘れていたイエスの言葉をぽつぽつと思い出す。いったいあれは何のことだったのか？　己れの若き日の「愚行」へとそそのかしたあれらの言葉は、何だったのか？

そう考えるうちに、ペテロは「鶏が鳴く前にお前は三度私を知らないと言うだろう」というイエスの言葉に思い至る。何度も自分はイエスの言葉を否認して生きてきた。そのことを別段何とも思わなかった。イエスの出来事は、はるか過ぎ去ったこと、若き日の愚行として片づけてきた。しかし当のイエスは、そのことを、我々が彼を否認し、過去のこととして片づけて生きていくことさえも、すでに語っていたのではなかったか？　自分はそのことさえも気づかなかったのだ！

　イエスに導かれてつき従い、その言葉に鼓舞された若き日の心躍らせた冒険、またその後弾圧され、散り散りになり、結局は長いものに巻かれるように否認と逃走に明け暮れることになった苦く暗い来し方が、このイエスの言葉と共にまざまざとよみがえったことだろう。

　そのとき、実際に三度鶏が鳴いたのか、それとも夜が明け初めるように、心の闇が晴れ渡ったのか、わからない。しかしとにかく、イエスの言葉の真意が初めてわかったとペテロは思った。自分がじかに聞いていたとき理解していたつもりになっていたのは、およそ理解ではなかったのだ。他人事のように聞き飛ばしていたこと、そこに自分の存在が語られてしまっていたこと、「三度否と言う」のは他でもない自分だったのだ、ということがまざまざとわかったのである。

　百卒長（ローマ軍の小隊長）の言葉として記録されている「まことにこの人は神の子であった」（『マルコ』5・39）という言葉は、こうしてイエスの言葉が復活し、それとともに自らの過去が救済された経験を通して、イエスの存在の意味が理解できたと信じた人々共通の表現として、受け継がれているのである。

　空中を浮遊するように漂い流れていた言葉、ただ聞き流されていた言葉が、ペテロの中で確固とした意味へとつなぎ留められた。ここで初めて、言葉と現実が結びつく。イエスがあのとき言っていたのは、このことだったのか！　否認とはこのことだったのであり、罪とはこのことだったのであり、罪からの救済、死から復活とはこのことだったのか！

福音書では、このようにもともとのテクストの意味が、ある状況と文脈の中で改めて遡及的に明らかになるという経験が、多く記されている。それも当然だ。それは、イエスの活動が、旧約聖書のテクストをあらためて同時代の文脈で取り上げることによって、律法学者・パリサイびとたちを批判することであったためであるが、より重要なことは、そのようなイエスの言動が、弟子たちには十分には理解されず、イエスの意味（とりわけキリスト・メシアとしての意味）は、長い時間の後になって初めて知られるという遡及的な時間構造を持っていることである。

長らく言い伝えられてきた「キリスト・メシア」つまり救世主がいつか到来するという言い伝え——それは、思ってもみなかった形で実現する。ガリラヤ湖畔を普通の人のように歩き、普通の人のように話していた男が、キリストだったとは！　気づいたときには取り返しがつかないという磔刑のトラウマ的体験こそが、キリスト教徒に取りつくのはそのためである。それゆえ、福音書のテクストは、文脈的理解のための格好の事例となっている。

ここに挙げた三つのエピソードは、いずれもテクストの中に読者自身が自らの姿を見出すという構造で一致していた。つまり、読者がテクストの文脈と自らの実存する文脈とをつなげ、その違いを一挙に乗り越えるという構造である。

いったん、この一つの点で言葉が現実につなぎとめられると、それに合わせてイエスの言葉の他の断片がそれぞれ遡って次々と現実に対応づけられる。こうして、とりとめもないように見えていた現実の現象の中に、首尾一貫した意味が見いだされるのである。

クッションの綴じ目

精神分析家のジャック・ラカン（1901－1981）は、このようにテクストのシニフィアンと現実が一点でピン止めされ意味理解が定着し、特定の現実への確固たる見通しを与えることになるという現象を、クッションの綴じ目に例えている。つまり浮遊するシニフィアン（言葉）のつながりが、まるでクッションの表地と裏地を縫い閉じる糸目のように、現実へと投錨されることである。

イエスの言葉は、初めは空中に浮遊した空疎な物語として聞き流されている。それは、コマーシャルのキャッチコピーとか、垂れ流され得る政治スローガンとか、誰が流したかとも知れぬ噂話のようなものである。鶏が啼く前にイエスを否認するという予言も、それが語られた当座は聞き流されていた。それが身に染みて理解されるのは、実際にイエスへの裏切りが起こり、かつそのことを真正面から受け取れるようになって初めてであり、それが可能となるのは、そして己れの罪深さがはっきりと自覚できるようになるのは、それが許されることによってなのであり、その許し、罪からの解放が到来するのは、イエスの復活によってなのである。

　これまでの来し方――イエスと出会い、従い、そして裏切りかつそれを忘却してきた在り方が、忘却の淵から復活するのであり、それとともに、これから来たるべき己れの運命――イエスと再び出会い、その福音を宣べ伝え、そしてイエスに倣って殉教するという一筋の運命が一挙に照らし出される。「主よ、何処へ行き給ふ（クォヴァーディス）？」

　もちろん「メシア（救済者）」の観念も「死者からの蘇り」の観念も、古い言い伝えの中にあったのだが、その浮遊した言葉を一点にピン止めすることによって、それらはペテロにとって初めてアクチュアルな意味を吹き込まれるのである。


　ラカンの「クッションの綴じ目」の理論は、もともとラシーヌ（1639－1699）の『アタリー』を分析したものである（ラカン［1987］）。ラシーヌの『アタリー』は、旧約聖書『列王記　下』第11章に出てくるエピソードを下敷きにしている。これについては荒谷大輔氏によるわかりやすい解説がある（荒谷［2018］『ラカンの哲学』）。

『列王記』はダビデ以来の歴代の王たちの事績を記したものであるが、彼らは大抵どれもこれもヤーヴェの神に背いて、散々悪事を働く。そのような異教徒とヤーヴェ主義者の闘いが、この『列王記』の主題と言ってよいだろう。

　アタリー（アタリヤ）とは、そんな中でも異教徒派の王族の一人で悪役の代表として登場する。

いろんな経緯で彼女は、ダビデの一族を根絶やしにしようとする。ユダヤ人の言い伝えでは、メシア（救世主）はダビデの子孫から出ることになっているから、そんなことになっては一大事。

果たせるかな、ダビデの血筋の一王子ジョアス（ヨアシ）が神官ジョアド（エホヤダ）にかくまわれることになる。ラシーヌが描くのは、ジョアドのもとに、アタリーに仕えている将軍が訪ねてくる場面。将軍は、アタリーに服属してはいるが、ヤーヴェへの信仰も失ってはいないという複雑な立場である。しかも、初めはジョアス王子がそこにかくまわれていることも知らない。

はじめ、将軍が神官に語る言葉は、せいぜい儀礼的なあいさつでしかない。

そうだ、私は永遠なる神々を讃えるためにこの神殿にやってきた……

（荒谷［2018］84頁）

神官はアタリーから敵視されている。まして、密かに王子をかくまっている。それゆえ、神官は、将軍の一言一句に細心の注意を払わざるを得ない。

将軍は神官に向かって言う。

私は不安に思う。何も隠さずに申し上げるが、アタリーがあなたを祭壇から無理無体に引き離し、とどのつまり、あなたの命を奪う復讐を成し遂げ、無理強いの尊敬をあまねくいきわたらせるつもりではないか、という事を。

（前掲書84頁）

ラカンによれば、この発言は神官に対する脅迫とも、神官に同情して危険を通報するものとも取れるものだ。こうして、たがいに腹を探り合う会話が重ねられていく。

しかし、「神を畏れよ」という神官の言葉が引き金になって、たがいのセリフがついにその真意を獲得する瞬間がやってくる。荒川氏は次のように書いている。

「神を畏れよ」というシニフィアンが、それまで宙づりにされていたシニフィアンとあいまいだった意味の塊をピン止めし、「すべて」を過去と未来にわたって意味づけることになる。……第一幕での空虚な言葉のやり取りは、物語の最後にアブネル〔将軍〕がアタリーを裏切り、ジョアス〔王子〕を中心とした新しい国〔ヤーヴェ主義的な国〕をジョアド〔神官〕とともに作り上げるまでの「全体」を意味づけるのである。

（同90頁）

ここで、彼らの言葉の意味を確定するものが、将軍の意図でも神官の意図でもないことが重要である。たしかに、彼らが口走る言葉には、あいさつのような習慣的意味がある。しかし、彼らが最終的にたどり着き、彼らの状況を天啓のように照らし出す意味は、彼ら双方ともに予めあずかり知らなかったものであり、その照明は、彼らのそれまでの言葉と双方のおかれた立場や思惑のみならず、それ以後、彼らが担う役割や運命をも、一挙に照らし出すのである。もちろんそれは、言葉の習慣的な意味を超えている。

それは、ペテロにとってのイエスの言葉が、耳にしていた当初理解していたつもりの意味を超えて、彼自身の来し方行く末を一挙に照らし出すのと同様である。いずれにおいても、言葉の理解は、慣習的に流通しているものを超えている。

このように、現象を取り集め、意味へとまとめ上げ、浮き彫りにする言葉の働きは、そもそも我々が初めて言葉を習得したときの場面を再現するものなのだろう。なぜなら、幼児のとき初めて言葉を覚える場合にも、習慣的意味に依存することはできなかったはずだからである。幼児にとって、両親の言葉は、初めは同様に空中を浮遊しているだけの、ただの暗号にすぎない。それが、「クッションの綴じ目」によってピン止めされねばならない。では、どこにピン止めされるのか？

それは、本来自分が語るべきセリフである部分が両親の言葉の中にすでに含まれていたことに、幼児自身が気付くところに、ピン止めされるのである。各人に各様のセリフが割り振られているが、ただセリフだけあって配役が割り振られていない部分がある。「ぼく、おなかがすいた」「ぼくは眠いね」……それが私だ、それを言うことが私の役割だ、そう気づいて幼児が、その言葉を両親から引き取って語りだすのである。それが周囲に祝福されるのは言うまでもない。初めは、ただオウム返しにまねしただけかもしれないが、周囲はそれを幼児自身の発話として、幼児の主体性の第一歩として、言語共同体への参入の第一歩として歓迎するのである。

ユダヤ教では、アブラハムに伝えられた神のメッセージとか、モーゼに与えられた十戒などは、ただちにその場で理解される。それが人間の側でたびたび裏切られたとしても、神のメッセージそのものには、何一つ不明確なものはない。アブラハムが、ひとり子イサクを燔祭にささげよという恐ろしい神の声を聞いたとき、その意味に疑いを抱いても当然だとも思われよう。しかしアブラハムは何の疑いもさしはさまなかった。ひょっとしてこれは何かの比喩かもしれないと思わなかったのだろうか？　しかし、大いなる畏れを以てこのような逃げ口上を考えてしまっているということそのものが、すでにして彼がその真意に気づいているまぎれもない証拠なのである。かくてこの命令が、文字通りの意味しか持たないことを、すでに知っていることを、アブラハムははっきりと意識せざるを得ないのである。したがってここでは、文脈の違いが思いがけない意味を与えるという経験は生じない。

それに対してイエスのメッセージは、イエス自身がその意味を意図的に伏せているように見える所もあって、必ずしもすべてが明確なものではない。イエスのたとえ話はその一例である。その意味が明らかになるのは、この言葉の聴き手が、独自の文脈を発見するときなのだ。

キリスト教においては、神と人間との間の相互理解のあり方そのものが主題化される。そして、それは罪と悔い改めというドラマを介して達成される。イエスの磔刑という取り返しのつかぬ罪を犯して初めて、遅ればせながら「まことにこの人は神の子であった」とわかるというわけである（『マタイ』27・54）。イエスのメッセージはしばしばこのように相互理解の蹉跌を迂回して、時間をかけてようやく理解される。その直接的理解の不可能性というメタ・メッセージを、教義に含んでいるのはなぜだろうか？

パスカル（1623－1662）は『パンセ』の中で、この点について主題的に論じている。キリスト教は信仰の証拠をはっきりとは示さない。もしそれが明確であったら、我々はいわば信仰へと強制されることになってしまう。それでは信仰者の自由は存在しなくなるだろう。それが不確実なままであることこそ、キリスト教の真理なのである。つまりパスカルは、信仰の説得力の不足自体を説得力にしているのだ。

〔信仰の側にも不信仰の側にも決定的説得がない〕しかしまさにこのことによって我々〔キリスト者〕は彼ら〔不信仰者〕を説得する。なぜなら彼〔イエス〕の行為には、どちらの側にも確信を与えるものはないと、我々は言うのだから。

（パスカル［1966］B－795）

こうして、イエスがキリスト（救世主）であるという根本教義そのものの意味が、その理解の蹉跌を迂回して初めて理解されるわけだから、それが不明確なところを含んでいることは必然と言えるだろう。だからこそ、解釈の自由が不可避に生じる。神のメッセージは、神から直接示されると見なすことはできない。そこには、不可避に誤解が生じ得るからである。それはむしろ、等しくそれを取り違えた人々による悔恨の共同体における隣人愛の中に間接的に示されるほかないのである。

『使徒行伝』には、そのことを鮮やかに示すエピソードが記録されている。

五旬節の日が来て、みんなのものが一緒に集まっていると、突然、激しい風が吹いてきたような音が天から起こってきて、一同がすわっていた家いっぱいに響きわたった。また、舌のようなものが、炎のように分かれて現れ、ひとりひとりの上にとどまった。すると、一同は聖霊に満たされ、御霊が語らせるままに、いろいろの他国の言葉で語りだした。

（『使徒行伝』2・1－4）

ここで神の言葉が「いろいろの他国の言葉で語りだす」のは示唆的である。聖霊は各人に各様に異なる言葉を与える。それらが一見矛盾するように見えることがあるとしても、それを抑圧してはならない。神の言葉は、各人に各様の解釈を許す。これこそ信仰者の自由というものである。

ここでは、バベルの塔のときとはちょうど逆のことが生じている。己れの力を頼んで、天に至る神の如き力を誇示しようとした人々が、言語の多様化によって不和と分裂を招来したのに対して、一様に神の言葉を誤解し裏切ってしまったという悔悟の中から、人々の愛と信頼の共同体が生まれている。そこでは、言語とその解釈の多様性は、不和よりも自由を生み出すのである。

こうして、世にも奇妙なテクストが生まれた。しかし意外なことに『マルコ』は反響を呼ぶ。すると、教団の中央としても無視できなくなる。そして、対抗してその向こうを張った文書を出さざるを得なくなる。ユダヤ人向けには『マタイ』が、異邦人向けには『ルカ』が、こうして書かれることになった。両者は、当然これまでのQ資料に加えて、『マルコ』を大いに参考にしていた。

おそらく、彼らも『マルコ』を読むうちに、次第にその精神に影響を受けていったのであろう。当初の護教的な意図を超えて、実際には自身では見たことのないイエスの生き生きとした姿が、自分の脳裏に動き始めたに違いない。なぜなら、これらの福音書においても、『マルコ』

に劣らずイエスは生き生きと描かれているからである。こうして福音書文学というまったく新しい様式が確立された。

聖書の冒頭に置かれた四つの福音書は、後の神学者をとまどわせると同時に、大きな自由を与えたと思われるのだ。もし、福音書が存在せず、モーゼの律法やパウロの神学しか存在しなかったとしたらどうだろうか？　その場合でも、ほぼ今日のキリスト教は成立していただろう。むしろ、その方がずっとすっきりしていたかもしれない。その場合、神学者の仕事はユダヤ教の律法学者やイスラム法学者と似たようなものになっていたことだろう。神学者の仕事は法学者の仕事に近いものになっていたはずである。

しかし、福音書という謎の文書が存在したために、神学者ははるかに自由に自分のイエスを考えることができた。それがアベラールの野心を刺激したに違いない。

その後、ふたたび古代のテクストが見直されたとき、古代のテクストの再解釈と聖書の再解釈とが同時平行的に起こった。これがいわゆるイタリア・ルネサンスと宗教改革である。そして、家族や共同体を引き裂いて、宗教改革の波が襲って以後は、個々人が自分で、自国語で聖書解釈と取り組まねばならなくなった。

これがヨーロッパ世界に新しい読者層を生み出した。彼らは、聖書とりわけ福音書の中に、自分自身の生活を読み取ろうとした。時空的に隔たった聖書世界を、身近なものとして読もうとする。当時の画家たちが一種のアナクロニズムを犯して、スペイン人はスペイン風に、オランダ人はオランダ風に、聖書世界を描き出すのはそのためである。

第2章 近代芸術の出発点――日常を異化する装置

1 美学をめぐる難問

これまで我々は、（人）文学が文脈の意識として始まったこと、それが大学の基礎を作ったことを見てきた。そしてそれが、理論とも情報とも言えないある種の教養として、さまざまの分野横断的洞察をもたらしうることを確認した。

今や我々はそれを踏まえ、近代芸術特有の現象を取り上げたい。というのも、近代芸術において、批評の意識がにわかに高まり、それとともに文脈の自由も画期的に飛躍したとみられるからである。それは、近代市場経済が身分や地域の垣根を撤廃し、文化的交流も横断も格段に自由になったからである。そこに、近代特有の芸術様式も生まれる。小説はその典型である。

近代においてはじめて、本来の美学や芸術批評が登場する。美学は近代芸術だけを対象とするのではなく、あらゆる時代の作品を論じるのみならず、自然美も芸術美も共に取り扱う。美学の包括性や普遍性と、その特殊近代的出自は、どう理解すればよいのであろうか？　明らかに近代の所産である美学が、歴史を通覧して芸術一般を論じることができるのはなぜか？　また美学は本来、美の理論なのか、それとも芸術の理論なのか？　古代では美の理論であったもの（たとえばプラトンの『パイドロス』）が、近代にいたって芸術の理論に変貌したのはなぜか？　また、古代では芸術はミメーシス（模倣）と考えられる一方で、多くの芸術作品は虚構である。果たして、模倣と虚構いずれが作品の本質に近いのだろうか？

また、美学や芸術批評については、芸術作品の鑑賞にとって概念的説明は非本質的なものではないか、という根深い疑問が従来からある。芸術作品は、感性や直感に直接訴えるものではないのか？　それに対して、美学や批評の概念的思考は何かを付け加えることができるのだろうか？

また、さまざまな芸術作品が「芸術」という統一的ジャンルとして意識されたのが、近代を待って初めてであったのはなぜか？　あるいは我々は、芸術作品一般に対して、普遍的に通用する価値尺度を持っているのか？　それとも、個々の作品ごとに別々に論じる作品批評という形をとるほかないのか？

これらの難問は、いずれも美学と芸術批評にかかわっている。我々は、美学と批評という近代特有の現象を手掛かりに、文脈の意識が近代において取った形を追求することができるだろう。

2　近代芸術と近代以前

芸術が単なる事実の記録ではなく、本質を切り取ることによって、起こり得ることを知らせるという認識は過去にも見られるが（アリストテレスの『詩学』）、ありのままではかえって本質が覆われ、我々の知覚は欺かれるのだという自覚は、近代特有のものである。

ギリシア人は、運動する現実の中に比類なきものが現れる神的な瞬間をとらえ、それを固定し、永遠化するものとして叙事詩を考えていた。英雄によって達成された神的な偉業は、詩人によって永遠化されるのである。他の芸術（彫刻、壺絵など）にも、叙事詩が決定的な影響を与えたため、それらには戦闘のような動的な主題には似合わない静まった印象を与えるものが多い。叙事詩の関心は、もっぱら瞬間を永遠化することにあったからである。それゆえ、たとえばキーツ（1795-1821）は、ギリシアの壺絵について次のように詠った。

耳に響く音楽は美しい、されど聴こえぬ調べこそ一層美しい
だからこそ、ゆかしき笛よ、響き続けよ
感覚の耳にではなく、はるかに慕はしく
音のなき調べを魂に向けて
樹々の下に立つ若者よ、お前はその歌をやめることはできず、

樹々の葉も散り尽すことあたはず
凛々しい恋人よ、お前の口づけがつひに唇にふれることも決してない
ただその寸前に迫るのみ——だが、嘆くことなかれ
たとへお前が至福を得られずとも
彼女は色あせることはない、
お前は永久に彼女を恋慕ひ　彼女は永久に美しいのだから

（『ギリシアの壺に寄せるオード』より　引用者による試訳）

ギリシア人は、生の激動が、寄せてくる波頭のようにくっきりと浮き彫りにする一瞬一瞬の神的なものや偉大なもの（たとえばマラトンの戦いの勝利）を、万人がそのようなものとして見て取ることができることを自明のことと見なし、ただ、それを模倣し定着する技術のみを、詩人に期待した。

とはいえ、この技術に精粗や貴賤の差別が存在することを、彼らは当然のことと考えており、たとえば詩人はより高貴なもの、彫刻家は身体を使う労働のため、より卑しい仕事と見なされた。それゆえ彼らは、芸術という統一ジャンルを知らなかったといってよい。

その後、芸術は、宗教や王侯たちを飾るという従属的意味に甘んじる工芸的・装飾的自己理解の時代を経て、芸術の自律的価値を意識し主張する近代にいたる。近代においてはじめて、

芸術が芸術という一つのジャンルにおいて自覚されるに至った。近代芸術にとって本質的なことは一体何か？　その特徴を、特に文学を中心に見ていくことにしよう。

『アラビアン・ナイト』にしても『源氏物語』にしても、巻ごとに独立して享受されるものになっている。実際『源氏』が生み出された平安期には、主だった読者であった女房たちは、偶然に回ってきた巻から読んだだろうが、それで十分に享受可能なのである。『源氏物語』の主人公・光源氏は、その個性や主体性で際立つのではなく、自らが体現している特殊な権力関係（左右大臣の勢力の拮抗の上に君臨している桐壺帝の皇子にして臣下という身分）から、それぞれの場面の基本構造を規定している。それに対して、相手の女君たちは、それぞれの個性を際立てることになる。

光の君は、音楽で言えばカノンやシャコンヌにおけるバッソ・オスティナート（執拗低音）[1]として反復しながら各巻を枠づけるが、女君たちはヴァリエーションとして個性を表現する。それらを一貫した順序で読み進む必要はない。カノンやシャコンヌのヴァリエーションが、定められた順に並んでいる必要は必ずしもないようなものである。それぞれの巻は独立して絵巻物の絵のように鑑賞できるように仕立てられている。したがって我々は、そこに成長物語（教養小説）を読み取る必要はないし、主人公が社会と対決することで織りなすドラマを見る必要もない。それなりの筋がないことはないが、それは最終的に主人公の認識に結実するわけではない。

それに対して、近代小説においては、主人公の決断と行動を通じて、単に読者が何らかの運命や意味を読み取るだけでなく、主人公自身に認識がもたらされる。

『源氏物語』の中でも印象的な女君のひとり六条御息所は、嫉妬に苦しみ、生霊として葵上に憑りつくけれど、それは彼女自身の意志ではどうしようもない降りかかった災難にすぎない。近代以前の物語では、主人公は不条理な運命に翻弄されるだけで、運命の主人公になるわけではないのに対して、近代小説においては、主人公がしばしば誤った決断によって、思いがけない運命に翻弄される場合でも、結局はそれを自分の運命として引き受けて、自分の真の認識に導かれるのだ。

たとえば、バルザックの『あら皮』［1973］では、主人公は人生のどん底で不思議なあら皮を手に入れる。それは彼の欲望をなんでも満たしてくれる魔法のあら皮であった。それによって、一転して彼には次々に現世での成功が開かれてゆく。しかしやがて、大きな欲望が実現するごとに、手にしたあら皮がみるみる小さくなっていくことに気づくのである。

しかし重要なことは、バルザックの主人公は六条御息所とは違って、運命にもてあそばれるだけの受動的存在ではないということ。彼は、あら皮が彼自身の残りの生命であることを十分認識しながらも、あえて彼自身の欲望を放棄しようとはしない。つまり、ここではあら皮の魔法は、もはや不可解な神秘ではなく、むしろ彼自身の強烈な意志と欲望のアレゴリー（寓意）

になっているのだ。[2]

近代小説では、『アラビアン・ナイト』や騎士物語では頻繁に出てくる魔法とか神秘は、そのままの形では登場しない。たとえ登場するにしても、『あら皮』のようにアレゴリーとして登場するだけである（ポーの幻想小説もドストエフスキーのいくつかの幻想的小説、たとえば『分身』とか『白痴』もそのようなものである）。

近代小説家は魔法や神秘は信じていないし、読者も信じないだろうと思っている。我々の経験的世界からは、それらはすっかり退場している（はずな）のだ。それゆえ、基本的には魔法や幽霊を登場させて我々の興味を引こうとするような従来の物語の手法は禁じ手となる。『スーパーマン』や『スパイダーマン』といったスーパーヒーローもの（これらも一種の魔法である）が、古典的近代文学に決してなり得ないのもそのためである。

3　物語と小説――意味の生成

そもそも「物語」という様式は何のために必要とされるのか？　それは一言で言うなら、意味の生成を表現するためである。数学的真理は、その証明がたとえ一行ずつ順を追って記述されなければならないとしても、原理的に一挙に見て取れるものであっても構わないはずだ。また、ある事件やある風景などが、一枚の絵に描かれることはあり得る。設計図や地図のように、対象を一挙に描くような表現もある。

　しかし物語で描かなければならないのは、初めの状況ではまだ現れていなかった意味が、時間の経過とともに現れてくるということである。たとえば、『白鳥の湖』とか『眠り姫』では、初めには魔法にかけられて白鳥の姿に変えられている姫君や眠り込んでしまった宮殿が、王子様の活躍によって魔法が解ける。『竹取物語』や『一寸法師』では、初めに登場した主人公は異形の矮小さで現れているが、それが宮中に取り上げられるまでに成長する。『シンデレラ』でも、『美女と野獣』でも『醜いアヒルの子』でも、初めは惨めな存在であるが、時間とともに素晴らしい存在へと変身する。オヴィディウスに『変身物語』というギリシア神話をもとにした物語があるが、それはすべて変身を描いている。たとえば、ヘラの怒りを買って牛に変身させられたイオとか、機織りを誇った結果毒蜘蛛に変えられたアラクネや、アポロンの求愛を逃れて菩提樹に変身したダフネーなど、これらはすべて変身の前と後と違いと変身、新たな意味の生成を描いている。

　前近代の多くの物語では、意味と価値の枠組みは前提されており、意味の生成や変化は、魔法など超自然的な力の介入によってなされるのが常である。『シンデレラ』や『竹取物語』における王権や宮殿が体現する価値と魔法の馬車や月世界の住人の設定、また、『白鳥の湖』における王子様と魔法や魔法使いという設定などもこれにあたる。

　これに対して近代小説においては、あらゆる神秘や超現実的な魔法が消えている。したがって、すべての謎は経験的世界の枠組みの中で解かれなければならない。この点では、探偵小説もそうである。密室殺人の謎が提起されたのちに、実は犯人が魔法を使って呪い殺していた、というのでは探偵小説とは言えない。

しかし探偵小説では通常、殺人事件の凶悪性は自明の前提とされており、犯行に対して内在的な理解が描かれることはまずない。たとえば、シャーロック・ホームズでは、犯行は正常な市民の神経では理解しがたい怪物的な凶悪さ（モリアーティ）として描かれている。アガサ・クリスティの探偵小説でも、際立った凶悪さが強調されている。ただし、『オリエント急行殺人事件』では、犯人たちの犯行の原因を、犯人たちの凶悪性にではなく、彼らを復讐へと駆り立てた過去の凶悪事件の異常な凶悪性に基づけている。ここでも凶悪性の説明は断念されているのだ。

これに対して、ドストエフスキーの『罪と罰』やスタンダールの『赤と黒』は、同様に犯罪を描いているとしても、探偵小説とは見なされないだろう。ラスコリニコフにしてもジュリアン・ソレルにしても、ナポレオンという自我理想に照らして自己の欲望を形成している。小説は主人公の欲望を単に超自然的な凶悪性とみなすことなく、彼らがおかれた歴史的文脈の中で理解可能なものとして明らかにしているのである。かつての物語においては説明不可能なものとして神秘化されていたものが、近代小説においてはすべてが解明可能になる。それは、経験の全体性に訴えることによってである。それはちょうど探偵小説における犯罪の謎が、そこで提示された証拠にのみ基づいて、解明されるのと同様である。ただ、探偵小説においては、犯罪の謎は解明されるのだが、犯罪者の心理は解明されることなく怪物的な凶悪さとして残されてしまうのである。

近代小説においては、主人公たちの欲望も、すべて経験の全体に訴えることによって解明可能なものと見なされねばならない。犯罪行為が、必然とは言えないにしても、それを取り巻く状況や主人公の心理から少なくとも自然なものとして、十分に理解可能なものでなければならない。

ラスコリニコフが、しがない学生の身分にもかかわらず、そこから成りあがって権力の頂点に立つという野心を持てたのには、ナポレオンのようなモデルがあったからであるが、そのようなモデルが自我理想として成立するにあたっては、当然、フランス革命とナポレオン戦争によって掻き立てられた激動が、ロシアという停滞した社会に与えた衝撃と近代化への急速な動きがあった。それによって固定された社会構造が動揺し、また亀裂を生み出し、波に乗って上昇する人々と、また逆に貧窮へと没落していく人々を輩出していく。ラスコリニコフも、しだいに追い詰められていく中間層の一人だった。

社会の亀裂と危機を自分の危機として捉え、何とか打開しようとする青年として、彼自身の野心が育まれていく。ナポレオンは、そのような野心と幻想が結晶するための触媒になるのだ。ナポレオンのように何千人もの人を殺して英雄になれるのだとしたら、自分が金貸しの老婆一人を殺していけないわけがあろうか、という身勝手な理屈がそれである。

そしてその野心がそれなりに整合的な論理をもっていることが示されるが、彼の犯罪は金貸しの老婆を殺害するだけには終わらない。たまたまその犯行現場に姿を見せた彼女の義理の妹リザヴェータをも殺してしまう。当初の計画にはまったく含まれていなかった偶発事が出来し、主人公の完全と思われた周到な思惑は、こうして早くも瑕瑾をまぬがれないのだ。

このちょっとした計画の綻びは、最初は取るに足らないものに見える。ラスコリニコフの意識は、奇妙にもリザヴェータのことを失念しているように見えるからだ。だが、ただの無意味な偶然と見えていたこの不測事態が、結果的に彼の所業の罪深さを際立てることになるのである。それは、奇妙な偶然からラスコリニコフの運命に寄り添うことになる哀れな娼婦ソーニャの登場とともに、次第にくっきりとした姿を取って立ち現れる。

真の悔悛は許しと愛が前提とならねばならない。全面的な許しがなければ、人は決して己れの罪を十分な深さにおいて認識することはできないのだ。かくて、忘却されたリザヴェータは、ソーニャへと姿を変えて回帰せねばならない[3]。ソーニャの瞳の中にリザヴェータの許しを認めて初めて、ラスコリニコフの再生が始まる。こうして、ラスコリニコフの身勝手な理論と老婆の醜い姿によっておおわれてしまっている真実――ラスコリニコフの真の罪が、ソーニャの姿に重ねられたリザヴェータの眼差しによって暴露されるのである。それによって一分の隙もなく構築されていたはずの観念体系は、木っ端微塵に砕け落ちてしまう。そのとき、予期されなかったリザヴェータの出現という無意味に思われた偶然が、あらたに浮かび上がってきた罪と再生というキリスト論的ドラマの全体の中に、正しい位置と意味を得ることになろう。かくて、ラスコリニコフの独自の観念世界という疑似全体性が突き崩され、別の全体性に置き換わるのである。

スタンダールの『赤と黒』の場合にも、似たようなことが生じている。貧しい製材業者の小せがれであるジュリアン・ソレルは、持ち前の美貌と才知を武器に、貴族社会の女たちのつてを使って成り上がろうとしている。ここでも、彼の野心に火をつけるのがナポレオンという自我理想であることはすでに述べたとおりだ。ナポレオンという徴(シーニュ)は、ユルトラ（極右王統派）の支配する王政復古期の反動フランスにおいて、ジュリアンが反抗心と自尊心を密かに堅持するよすがである。彼はナポレオンへの崇拝をひた隠しにせねばならないからこそ、己れの精神の自律性の拠点としてこの徴に固執しているのだ。

ジュリアンは、あまりにも彼の野心と術策に心を奪われているため、己れの心の真実に気づかない。家庭教師先のレナール夫人をものにするために、夜陰に紛れて彼女の手を取ろうと決意する有名な場面があるが、ジュリアンにとってはレナール夫人を愛しているかどうか、愛されているかどうかは二の次である。彼は勇気を奮い起こすために、常々そうするようにナポレオンの戦闘に思いを馳せるが、そんなとき彼の心を支配しているのは、自分の意志が本物であるかということであり、それが意志の空想ではなく真の意志であることを、自分自身に対して実証することなのである。それは、明確で堅固な意志を持ち得ることこそ、ナポレオンのような英雄の証明であると彼が考えるためだ。

すべてを周到に計画し、本心をひた隠しにするジュリアンの心理は、己れ自身を明確に捉え、堅固にコントロールしていると信じているときに、思いがけない形で破綻を見せることになる。パリに出て、侯爵令嬢との結婚が決まっている所に、ジュリアンを誹謗するレナール夫人の手紙が届く。それを見ると彼は、直ちにパリを後にして故郷ヴェリエールに馬車を走らせるのだ。教会で祈っているレナール夫人を背後から銃撃するためである。

何を思って彼は、このような激情に身を任せたのか？　レナール夫人の手を握る場面では、あれほど詳しい心理分析を書き記すスタンダールが、ここではまったく何も説明しない。ヴェリエールへの旅の途中、彼が何を考えたのかも一切記述されていない。それは作家自身も、その理由がわからなかったからである。書き進めているうちに、主人公は突然小説家の意志を超えて行動に躍り出る。小説家はただ息をひそめながらその後を追うだけである。実際、それはジュリアン自身にもわからなかったのであろう。思えばこの中傷の手紙で、ジュリアンの立場が決定的に崩れるわけではない。冷静に考えれば、侯爵令嬢との婚約もまだ破棄されると決まったわけではない。世間的な価値観からすれば、こんな突発的行動があらゆる合理的計算に反することは明らかである。冷静で計算高いジュリアンの性格にとっては、いかにも唐突な破綻なのである。(4)

しかしジュリアン・ソレルは、ここで思いもかけない自分の真の姿に気づかされるのだ。計算高いジュリアンの底には、激情的に行動するこのようなジュリアンが隠されていたのである。それこそが、レナール夫人に対する獄中での和解と情愛深い相互理解に導くのである。ジュリアンは、今やしみったれた野心や策謀から一切自由になり、自己と世界の一新された姿を澄み切った心で眺め渡しながら、従容として断頭台の露に消えていく。人生を覆っていた霧が晴れ、その全体の真相が啓示されたかのように小説は終結を迎えるのである。

4　近代文学の始まり――『ドン・キホーテ』

近代文学は、セルバンテスの『ドン・キホーテ』をもって始まると言われる。この小説は、騎士物語という書物を現実そのものと取り違える主人公を描くことによって、つまり言語表現の文脈をまったく理解しない主人公を描くことで、さまざまな滑稽な取り違いからくる失敗を描き出す物語である。それによって、逆説的に文脈という観念の重要性を浮き彫りにするのだ。

このような小説は、セルバンテスのどのような経験から生まれたのであろうか?

セルバンテスは、1547年スペインに生まれ1616年に亡くなっているから、シェイクスピア（1564-1616）とほぼ同時代である。イベリア半島は、長らくサラセン人たちに支配されていたのだが、いわゆるレコンキスタ（国土回復運動）がグラナダの陥落をもって完成するのが1492年である。レコンキスタの愛国的・宗教的情熱は、イスラム教徒を掃討した後も尽きることなく、そのまま大航海時代の世界進出につながっていく。ちなみにコロンブスによる「アメリカ大陸発見」がこの同じ年。

他方、1517年に始まるルターの宗教改革は、1648年に三十年戦争が終局するまで、ヨーロッパ中を席巻していく。スペインを中心とする反宗教改革の熱狂は、レコンキスタの激しい愛国心の高揚と合わさって、ユダヤ人やイスラム教徒やプロテスタントの大弾圧にもつながるものであった。次第に苛烈になる宗教裁判を通じての宗教弾圧は、次々にユダヤ人やムスリムの流出と、プロテスタント派の地域（ネーデルラント）の離反を招いた。特にユダヤ人たちは、豊かな技術や知識、資産を持っていたので、彼らの流出は国力の衰退を招いたと言われる。

セルバンテスは若くしてスペイン海軍に参加し、オスマン・トルコを相手に地中海のレパントの海戦（1571年）で、左手を失うという奮闘を見せている。彼は、その後軍務を退き故国スペインに帰って、それなりの待遇にありつくことを期待した。彼の英雄的働きに、スペイン宮廷は当然しかるべく報いると思われたのである。ところが、その帰り道においてチュニジア沖を通過するあたりで、人質ビジネスを営むイスラム教徒の集団に拉致されてしまう。セルバンテスはそこでも幾度も逃亡を企てるが、そのつど捕えられ、偶然の幸運がやってくるまでおよそ5年にわたって幽閉されることになった。

こうして死線をかいくぐる10年余りを経て、ようやく帰ってきた故国スペインは、以前とはまったく違った時代の雰囲気に変わってしまっていた。スペインの栄光に陰りが見え始める一方、ユダヤ人亡命者を吸収して国力を増強したオランダとイギリスは、急速に世界の海の覇者へと上り詰めていくのである。やがてその末に、スペインの誇る「無敵艦隊」がイギリス艦隊にみじめな敗北を期すに至る（1588年）。

かつては、セルバンテスの若き日を捉えた愛国主義や理想主義のスペインは、幻滅と閉塞へと急速に変質してしまっていた。10年余りの空白を置いて祖国に帰ってきたセルバンテスには、その変化についていくことが困難だった。彼の理想はもはや時代遅れの幻想に過ぎないことが、人生の折り返しを過ぎた彼自身の苦い認識とならざるを得なかったのである。それが、騎士物語の理想を胸にして現実社会と衝突を繰り返すドン・キホーテの姿に反映されている（この点については、牛島信明［1989］『反＝ドン・キホーテ論』に説得的な議論がある）。『ドン・キホーテ』は、物語を文脈から独立したものとする認識、したがって元の文脈と違った文脈においては、また違った意味を帯び得るものという認識を欠き、現実そのものと取り違える主人公を描くことによって、文脈を主題化した最初のテクストになった。それこそ、セルバンテスが自身の身を削って獲得した認識だったわけである。

そもそもなぜ、ドン・キホーテは彼のありふれた日常に別れを告げ、その冒険へと出で立ったのか？　なにゆえ騎士物語に世界と人生の意味の解読を求めようとするのか？　この書物への欲望、意味への渇望は何故なのか？

何の変化もなく日常が永遠に続くかのように流れていく社会においては、このような欲望は生まれないだろう。中世社会においては、何ぴとにもそれぞれの分というものがあり、共同体が定めた掟と慣習によって諸個人の役割と意味がきっちりと決められていた。職業はみな親のものを受け継ぎ、先祖から受け継がれた土地に縛られ、何をなすべきか、何をなすべきでないかは決まっていた。時間的にも、人生の節目にそれぞれなすべき儀式があり、空間的にもその場その場で担うべき役割があった。人生において何が善であり、何が罪であるか知られていたし、知られていなくても教会の坊主に聞けば教えられることが知られていた。ここでは、人生に謎はなく、その意味への問いも生じようがなかった。

ところが、16世紀に宗教改革の嵐が始まるや、かかる定まった意味を与える権威の一般性に疑問が差しはさまる。かつては固定されていた意味の枠組みが挑戦を受けてにわかに不確実になるのである。他方、商品貨幣経済の浸透とともに、村落共同体の紐帯に亀裂が生じ、住人たちの間に以前に見られなかった流動と不安が生じた。

『ドン・キホーテ』前篇が出版されるや、たちまち版を重ね、各国語に翻訳されるなど大きな成功を収めた。それとても、困窮の中で彼がその版権を譲り渡してしまっていたために、ほとんど利益をもたらさなかったのであるが。やがてその成功を見て模倣する者が現れる。著作権の観念もはっきりしていない時代、セルバンテスは自分の作品をそれらの海賊版から守る必要に迫られた。こうして急いで出版されたのが、後篇である。

後篇では、すでに前篇の主人公としてドン・キホーテの名はスペイン中にとどろいている。ドン・キホーテは評判の作品の主人公として、ある種の有名人として旅先で迎えられるわけである。すでに滑稽できちがいじみた人物として知れ渡っている主人公に、周囲の好奇心が向けられる。彼らは、すでにこの小説の主人公の魅力に半ばとりこになっているのだ。彼らは、この主人公と何らかのかかわりを持とうとして躍起になり、彼の幻想に付き合いながら彼をもてなし、自分もその笑いの御相伴に与るという快楽を求めるのだ。

とりあえず重要なことは、ここに小説自体に対する批評的・反省的意識が織り込まれているということであろう。小説のこの批評性は、それ以前の物語が、世界と価値の枠組みを前提にし、それ自体を小説世界の中の経験の総体によって解明し得ぬものと見なしていた前近代の物語の構造とは、際立って違う様式を示しているのである。このことは、ドン・キホーテの「理想主義」がたえずサンチョ・パンサの現実主義によって横から水を差され、批評的に吟味されるという二人の対話的構造によっても具体化されている。

それればかりではない。『ドン・キホーテ』海賊版で描かれたニセのドン・キホーテが、後篇に出現し、本物と対決しさえする。ここに及んでは、現実社会と文学的テクストの関係は幾重にも入り組んだものになっている。テクストは、己れの反響自体を自分自身に取り込んで、それに批評的にかかわっているのである。このことは、この小説全体の枠組みを相対化し、語り手の視点を流動化することにつながっているのだ。(5)

ドン・キホーテは、サンチョと周囲の連中の見方によって批判されるばかりではない。とりわけ後篇では、ドン・キホーテは彼を嘲笑しようと待ち構える人々を、知らず知らずのうちに魅惑し、感化さえしていく。

ドン・キホーテの滑稽な理想主義に対する周囲の者たちの共感と感化は、彼らがすでにこの社会の計算高い退屈な合理性にうんざりしていたからこそ生まれるのである。たとえ幻想であるにせよ、ドン・キホーテの理想は、彼らにその現実を異化することを可能にするのだ[6]。

他方、ドン・キホーテ自身が己れの幻想にすでに気づいていたという可能性もないわけではない。彼が狂気じみた己れの理想主義に固執し、それを他人から批判されればされるほどいっそう意固地になるのは、彼が本物の狂人であることを示しているよりも、むしろ彼がそんな理想を信じることができないことに内心不安を感じつつあるからかもしれない。

負けが込んできた終戦間近のわが国で、一層ファナティックな神頼みのショーヴィニズムが猖獗を極めたものである。覚めつつある夢にしがみつこうとして、人は己れの幻想を維持するための呪術的な行動に走るのである。

あるいは、アヘン戦争で清国が敗北を期するや、儒教的秩序の権威が揺らぎ始めた時期に、清に成り代わってわが国が朝鮮に覇権を広げようとするような、いささか狂信的な自民族中心主義が巻き起こるが、それも中華帝国に成り代わって、傾きつつある儒教的イデオロギーの夢を維持し続けようとする空しい試みだったのかもしれない。このような場合、自分でもうすうす信じられなくなっている理想を、他人に信じさせることによって、自分自身にそのことを確信させようと空しい努力を重ねるのである。あたかもそれを信じることによってのみ自己の実存が維持できるとでもいうように。

このようなイデオロギーとその主体の関係を表現するものとして、フローベールの『ボヴァリー夫人』から一節を引くことができる。自殺を企てて死の床にあるエンマ・ボヴァリーの枕もとで、俗物進歩主義者である薬剤師オメー氏と旧弊の司祭のブールニジアン神父とが、死者への哀悼もあらばこそ、いつものように飽きもせずイデオロギー論争を繰り広げる場面である。


〔夫の〕シャルルが行ってしまうと、薬剤師と司祭はまた議論を始めた。

「ヴォルテールをお読みなさい！　ドルバックをお読みなさい！『百科全書』をお読みなさい！」と一方が言えば、

「『ユダヤ系ポルトガル人の書簡集』をお読みなさい。前司法官ニコラの『キリスト教の意義』をお読みなさい」と相手は答えた。

二人は熱中し、真っ赤にのぼせ、相手の言うことも聞かずに一時にしゃべり合った。ブールニジアンがそんな乱暴な話はないと憤慨すれば、オメーはそんなバカげたことはないとあきれ返った。そして二人があやうくののしり合いをはじめようとしたときに、突然シャルルがまた姿を現した。

（フロベール［1960］下巻240頁）

ここで二人のどう見てもあさましい「論争」が、結局はそれぞれのイデオロギーを代表する著作家たちの名前を列挙することに終わることは、特に興味深い。彼らは、自分の言葉でおのれの経験に基づいて信念を語ることができないのである。つまり、自分の経験から意味を汲み取りながら自分の信念を確証していくという思考の回路を失い、人の言葉を鵜呑みにしてクリシェを繰り返すことしかできない。それは、他人を折伏することによってしか己れの信念を確信できない、という脆弱な心性を暴露しているのだ。

ドン・キホーテを、このようなイデオロギーの一途な信者と見れば、彼の逆説性がさらに際立つだろう。というのも、彼が信じているのはたかだか書物から借りてきた神話でしかない。彼が書物の知識を至る所に適用して事態を解釈するのは、彼がことわざを連発しながら機知に富んだ会話を続けるのと同様であるのに、それを世界そのものの唯一の見方と錯覚する所に、彼の妄想が存在するのである。つまり、機知やことわざのように、騎士物語の観念が場所を変えて繰り返し適用可能なものと見なすならば、当然、文脈を変えてこれらの言葉が使用されるのに気づくべきなのに、騎士物語の言葉はいわば現象に張り付いたまま現象を覆い隠してしまうのである。

もっとも、ことわざの連発を得意とするのはサンチョであり、ドン・キホーテのことわざはサンチョの癖が乗り移った結果かもしれない。

「サンチョよ、諺はもうたくさんだ。おぬしが今口にしたうちのどれひとつをとっても、それだけでおぬしの考えを伝えるには十分だからな。わしはこれまで、やたらに諺を振りまくでない、諺を使うときには慎重にしろと繰り返し忠告しておいたはずじゃ、だがそれも『馬の耳には念仏』であり、『おふくろがお仕置きしても、おいらは出し抜いて仕返す』というようなものであったらしいな」

（セルバンテス［1999］後篇67節）

いずれにしても、言葉を操る才能にことのほか長けたドン・キホーテが、いったん彼の理想にかかわる段になると、その機知を狂気へと一変させるのはまことに皮肉である。この点をみても、この作品が文脈の自由と不自由とを主題化しているのがわかる。おそらく、この自由と不自由は一体不可分なのであろう。言葉づかいにこだわり、端正で豊かな言葉をたくみに操るドン・キホーテであればこそ、言葉の魔法にからめとられ、一層強くその幻想に欺かれるのだ。

5　自然と芸術――虚構を迂回して真実へ

世界から一切の魔法や神秘が姿を消したのち、セルバンテスが、魔法そのものではなく、それを信じる主人公を登場させたのは画期的なことであった。そこでは、ドン・キホーテだけがいまだに魔法を信じ迷宮をさまよう。

だからといって、ドン・キホーテの理想を信じない我々が、世界にかけられたあらゆる魔法や幻想から免れているわけではない。我々は相変わらず夢や幻想にたぶらかされ、現実を見失う。ただ、我々の世界の魔法は、個人の頭の中にとどまるものでない点で、ドン・キホーテのそれより、いくらか手が込んだものになっているだけだ。

芸術作品の鑑賞は、自然の美を愛でるようなものだろうか？　花鳥風月を描くような伝統的美意識では、この差はほとんどない。美人画のようなテーマを考えても、作品は現実をいくらか理想化したり、誇張したりするとしても、自然美と芸術美に本質的な差異はない。せいぜい「芸術は自然を完成する」というくらいのものだろう。それなら、芸術は、バラの品評会で選りすぐりの花を愛でるようなものなのだろうか？　あるいは、微妙な香りや味を、そのニュアンスの襞まで分け入って味わい分けるワインの利き酒のようなものだろうか？

バラの品評会では、それぞれの花を見るだけで、その美を容易に理解することができるだろう。ワインの味も、バラよりもはるかに複雑で、たしかに通でなければ味わい分けることのできかねるような深みがあるとはいえ、経験を積むことでそれへの通暁が可能だろう。一般に自然美の鑑賞は、そのようなものだ。それらは、ありのままに目の前に繰り広げられている。だから、自然の中に存在する美や偉大さが自明のものであり、精粗の差はあれ、誰が見ても同じように感じ取ることができるものであると見なされている限りは、芸術が特に問題となることはなかったのである。その時代には、「芸術」よりもむしろ「美」が問題にされた。

しかし、『マクベス』にあるように、「きれいがきたない。きたないがきれい」となる世界で、美の自明性が失われているとしたら、どうだろうか？　自然がありのままではその本質を開示せず、ありのままの感性では事の真相が覆われたままであるとしたら、どうだろうか？　通常の感覚が慣習的意味に固執し、常に閉鎖的（神話的）意味に回収されてしまうとすれば、どうだろうか？　我々の感覚はその場合、たいして信用するに値しないということになりはしないか？　因習化され、神話化された感受性を突破するために、ありのままからありのままでないことへ、つまり自然から虚構へと、迂回する必要があるのではないか？

実は、もともと太古からこのような迂回は存在していたのだ。ラスコー壁画に、太古の動物は生き生きと躍動している。しかし、これらは決して「ありのまま」ではない。それは実際の動物のように動いてはいない。実際の動物のように立体的でもない。しかしかえって動きを実感させる。

激しい動きそのものは、決して自然のままの知覚では十分に捉えられない。静止しているからこそ、かえって躍動して見えるのである。ありのままに動いてしまっては、その動きを実感することはかえって難しい。現実は、躍動の印象は与えるが、たちまち過ぎ去ってしまい、いったい何が過ぎ去ったのかさえ捉えることはできない。そうしているうちにも、その印象は見る間に薄れてゆき、結局はほとんど何も残らない。あれほど強烈な印象を与えていたものが、たちまち無に瀕し、何も残さないとは！　この流れ去る影たちとともに、自分の存在も儚く流れ消えていくのであろうか？

自然の実相は、自然のままでは経験できず、自然の一部を遮断したり、縮約したりして、初めて観想可能となるのだ。これを可能にするのが芸術という装置である。ラスコー人たちは、動きを定着することによって、それを永遠に観取可能なものにしたのである。ギリシア人の壺絵のように、それは一瞬を切り取り、それを永遠化した。こうして初めて、動きが観取可能になる。ちょうど、激しい爆発シーンなどを映画で撮るとき、スローモーションに訴えるようなものだ。

このように、静止を迂回してはじめて躍動が観取されるように、虚構を迂回してはじめて実相が観取される。自然そのままでは複雑にすぎるときには、人形を使って思いきった簡素化に訴えることもある。これらすべては、結局のところ、虚構の形で真実に迫るものだ。芸術がしばしば虚構の形を取るのは、そのためである。ただ、古代では芸術の虚構性がはっきりと自覚されることはなく、それゆえミメーシス（模倣）こそ芸術の本質だと素朴に信じられていた。

しかるに近代では、新たなことが生じている。実人生の本質を啓示する特権的神秘が一掃されたため、どこにも神的なものは存在しなくなる。芸術はもはや、特権的人物（英雄）の特権的瞬間を描くことができない。

オランダ絵画を見るといい。キリストやマリアが、光背を背負って描かれることはなく、王侯や英雄の周りを、神々や天使が飛ぶこともない。市井の何気ない一コマを描くことで、世界の全体を縮約して示すことを目指しているかのようである。これは、世界がくまなく世界市場で結ばれた17世紀の経験に裏打ちされている。世界中からプラント・ハンターが集めた植物も、新奇なものはあっても、神秘なものは一つもない。アフリカの奥地で発見されたサイやキリンも、伝説の一角獣や口から火を吐く麒麟ではない。神秘はもはや、世界の全体が存在するということだけなのだ。

何の神秘もなくなったはずの世界が、なおも我々に謎をかけ続け、影も隈もない世界が我々に迷宮として立ちはだかるのはどうしてなのか。

6 『ハムレット』にみる異化作用

何の奇跡も神秘も存在しない近代世界において、芸術作品はその世界が隠蔽している不条理や亀裂を暴露する役割を負うことになる。それはありのままの世界の写実ではありえない。ありのままの写実では、真実の隠蔽に加担することにしかならないからだ。ありのままに流れる日常に何の違和感もなく従う人々とは別に、その裏側を見透かす見方、芸術の見方はどのようにして生まれるのであろうか？

たとえばセルバンテスは、10年間にわたる流浪で、同時代のスペインから無理やり引きはがされることにより、違和によってこの世間と隔てられた主人公という主題を得ることができた。浦島太郎のような経験をしたセルバンテスは、騎士物語の理想主義によって現実不適応を起こすドン・キホーテを造形した。それは理想（イデオロギーと言ってもいい）というものが我々を体系的に翻弄し、欺く姿を描いているものとも言えるだろう。その理想の中にはたしかに一面の真実もなくはないが、その文脈性を見失ってしまえば、狂気や夢に近づくのである。

それに対して、通常『ドン・キホーテ』と対比される『ハムレット』は、また別の形でありのままの現実を遮断し、亀裂と不条理を現出させる作品である（シェイクスピア［1996］）。『ハムレット』において特徴的なのは、ある日から突然、ハムレットにだけ世界が別様に見えるということである。彼にとってだけ、この世界は「タガが外れたもの」になってしまった。それは父王が死んで、母が再婚したからである。その体験が、ハムレットの現実を異化して見せることになるのである。

作品冒頭、ハムレットは亡き父王の亡霊によって、父王がその弟クローディアスに殺害されたことを告げられ、その復讐を依頼される。フロイトは、ここからエディプス・コンプレクスの理論を考案した。それによると、ハムレットがクローディアスに復讐する機会が何度もあるのに、ためらいを見せるのは、父王を亡き者にして母ガートルートを自分のものにしたいというハムレット自身の無意識の欲望を、クローディアスが代わりに果たしたためであるとされる。ここにフロイトは、父を殺して母と結婚したオイディプス王の悲劇を重ねたのである（フロイト［2007］233頁以下参照）。

しかし、ハムレットの立場の激変を、そのような家庭的・心理的要因にのみ帰するのは、作品の意義を過小評価することにつながるのではないか？

むしろハムレットの立場は、彼のおかれた政治状況から理解されるべきだろう。もしガートルートとクローディアスとの間に王子が生まれたら、ハムレットの立場はどうだろうか？ それは極めて危ういものになる。クローディアスはハムレットを王位継承者から外して、自分の子供に王位を譲ろうとするだろう。さもなければ、のちにハムレットが王位を継いだ下では、逆にその幼い王子の立場が危うくなるからである。少なくともハムレットと幼い第二王子の間には、当人たちの意図を超えて、緊張が走らざるを得ない。宮廷では、二人の王子の取り巻きが、それぞれの思惑からさまざまのことをはかるからである。

クローディアスとハムレットの間には潜在的敵対状況が存在し、両者の激突は時間の問題である。そのさいクローディアスの治下でハムレットに味方するものは誰もいない。ハムレットは、突然自分の身分が極めて危ういものであることに気づくのだ。誰一人彼の危険を気遣うものはいない。

先代のハムレット王が弑逆されたというのは、ハムレットの幻想または作り話である可能性が高い。事実、ハムレット自身にしても、父王の亡霊の言うことをすっかり信じているわけではない。旅の一座に王弑逆の劇を上演させて、クローディアスの罪を証明しようとするのもそのためである。だが、上演された劇を見てクローディアスが動転したことは、彼の犯罪の証明にはならない。むしろ、あの劇はクローディアスの潜在的欲望を描き出したからこそ、彼の不安が爆発したのだ、と考える余地があるだろう。実際に手を下しているとは限らないのだ。クローディアスが感じる良心の呵責は、彼の罪の結果だとは限らない。人は自分の罪深い欲望が実現するのを見たとき、良心の呵責を感じるものだからである。実際、フロイトの解釈によれば、ハムレットがクローディアスを殺害することを躊躇するのは、そこにハムレット自身の無意識の欲望を見てしまうためである。ここからも、己れの無意識の欲望の実現を目撃することが、衝撃的でトラウマ的な経験になり得ることがわかる。

結局あの幻想は、実際には真であれ偽であれ、ハムレットのイデオロギーが生み出したものである。彼はこのイデオロギーに依らなければ、自分の苦境を打開できない。なぜなら、「クローディアスの犯罪」という真偽不明の想定がなければ、ハムレットが自分の身を守るために王と対決するということには、合法性もなければ説得力もないからである。

もちろんガートルートは、クローディアスの人間性を信じ切っているから、ハムレットの不安をまったく理解しない。おそらく、クローディアスという人物は、先代の王を弑するほどのワルではないのであり、たかだか僥倖で得た自分の幸運を守ろうとしているだけの小心者なのだ。だが、そんな人物であるからこそ、自分の息子が生まれたときには、その子を王位につかせようとして様々な謀略に手を染めざるをえない。そうしていずれ成り行きから、あるいは恐怖と不安から、心ならずもハムレットを亡き者にせざるを得なくなるのである。

このことをリアルに実感するためには、『オデュッセイア』の場合を参照すればよい（ホメロス［1994］）。トロイ戦争を10年戦い、さらに帰途の流浪に10年を費やし、20年目にオデュッセウスはイタケーに帰還する。生死不明の主人の留守に、妻ペネロペには地元の有力者たちが求婚している。それも、大方は財産目当てである。

オデッセウスの留守中テレマコス（彼の幼い息子）に忍び寄る危険を、ペネロペは熟知している。もし彼女がガートルートのように誰か有力者と結婚したとしたら、おそらくテレマコスは闇から闇に暗殺されただろう。かといって、どの有力貴族との結婚をもすべて退けていたとしたら、彼らは団結してペネロペ親子を追い出して、イタケーを簒奪したに違いない。テレマコスと自分の地位を維持するための唯一の道は、言を左右にして誰にも結婚するチャンスがあると見せかけて、テレマコスが成長する時間稼ぎをすることであった。その場合、有力貴族たちは互いに自分にもチャンスがあると思って、牽制しあうだろう。ペネロペは、極めて狡猾に政治的な計算をしていたのである。

それに比べてガートルートは、愚かにもハムレットの立場にしのびよる危険について何も考えていなかった。この結果ハムレットには、突然大きな死の危険が降りかかり、それによって彼の世界は一変するのである。

しからば、たとえばオフェーリアに対する「尼寺に行け！」は、どう理解すればいいのか。愛していたはずの婚約者に対するこのひどい仕打ちは、いったいなぜなのか？　もはやハムレットは彼女を愛していないのか？　それとも本当はなお愛しており、心変わりは演技にすぎないのか？　ここで、読者は戸惑う。

しかしまさにここにこそ、ハムレットの観点の激変を読み取るべきなのである。彼はもちろん、オフェーリアをもはや少しも愛してはいないのだ。今や彼から見ると、彼女は極めておぞましく危険な存在に一変してしまった。クローディアスは、ハムレットをすでに危険な存在と見ている。佞臣ポローニアスは、王の意を受けて、娘オフェーリアにハムレットを探らせる。クローディアスの独白にはこうある。


彼女の父〔ポローニアス〕と私〔クローディアス〕が、合法的なスパイ活動として、見られずに見ることによって、二人が会うときハムレットがどうふるまうかを情報収集して、率直に判断することができるだろう。恋の悩みがその苦しみの原因なのかどうかを。

〔シェイクスピア［1966］第三幕第一場〕

父、ポローニアスの言うままに、ハムレットの身辺をスパイするような女は、今やハムレットにとって生死を分ける危険を意味するだろう。それに気づくと、ハムレットとの婚約すら、愛情からというよりも父の意志を引き受けただけの、まことに空虚なものであったことがあらためてわかる。それでありながら、このような女は自分の主体的意志をさし控えることによって、実際に多くの利得が自然に転がり込むことを、本能的に察知している。したがって、その純情素朴さは、実は狡猾な計算づくのものに過ぎないのだ！　そのような欺瞞をハムレットが拒絶するのは当然である。

観客がオフェーリアに同情して、ハムレットの仕打ちをむごいものだと感じるとしたら、それはオフェーリアと同じような通俗的な自然さに浸りきっているために過ぎない。しかしハムレットだけは、そのような表面的な自然さのヴェールを引き裂いて、タガが外れた世界を目撃した者として、世界に対峙せねばならない。そこにハムレットの孤独がある。

以上の我々のハムレット解釈は、一見牽強付会に見えるかもしれないが、従来の解釈より優れた点は、とくに主人公ハムレットの英邁さを正しくとらえることができる点である。従来の見方では、どうしてもハムレットは決断力のない優柔不断なインテリということになってしまう。その点ではフロイトの解釈も、またツルゲーネフの理解も同様である。実際、それらの解釈は、シェイクスピアのテクスト末尾に記されたフォーティンブラスの発言にも矛盾しているのだ。

武人にふさわしく、
四人の隊長に命じてハムレットの遺体を壇上へと運ばせよ。時を得れば、間違いなく名君と謳われたはずの方なのだから。

（前掲書同）

しかし、我々の解釈によれば、彼がクローディアスを暗殺するチャンスがあるときも、容易に行動に出ないのは、優柔不断のためではない。そのような単独テロが成功したところで、その正統性に疑義の残る場合には、その後の政体が安定しないことを理解していたためである。民衆自身が自覚し決起する場合にのみ、政体の安定が保証される。その場合には、単にクローディアスを倒すだけで満足してはならない。この決起に大義が伴うためには、後続する体制は、民意に根差した立憲体制を目指さざるを得ないであろう。その意味でハムレットは、己れの個人的危機を普遍的理念にかろうじて結びつけたのであり、そのきわめてわずかな生き残りの可能性から人類の普遍的理念に向かう革命的主体に生まれ変わったのである。ここに彼のたぐいまれな英知と勇気を見なければならない。

結局、ハムレットの単独テロが余儀なくされるのは、この民衆革命の路線が不発に終わるからである。このアペンディクスのようにつけられた民衆蜂起の場面を見逃しては、このドラマの政治的重要性を理解できないであろう。この革命が失敗に終わるのは、クローディアス王権に対する民衆の早すぎた反乱を、ポローニアス（父）とオフェーリア（妹）を失ったレアティーズに横領されてしまったからである。この男は、その父や妹に似てとことん愚かで、おまけにうぬぼれ屋である。その企ては、たやすくクローディアスに収拾され、その支配の強化のために詐取されてしまう。ここでも、オフェーリアとその一族の反動的役割は明らかである。

結局この作品は、日常的にはごく当たり前に何の問題もなく流れていく世界を、ただ当たり前に眺めるのではなく、タガが外れたものとして眺めざるを得ない視点が、いかにして生まれるかを描いたものとして見ることができるであろう。作品は、ただ世界を写す鏡ではなく、異化する鏡として、ありのまま見る視点では見えない真実を浮き彫りにする。ハムレットこそは、そのような特異な視点として、この世界の中に出現した近代劇作家であると見なければならない。その意味で、この劇の主題は、劇の出現そのものなのである。

我々は、フロイトが『ハムレット』の解釈を通じて、彼のエディプス・コンプレクスの理論を展開したことを指摘した。それは、いわばこの作品をソフォクレスの『オイディプス王』の文脈に置くことを意味した。我々はと言えば、その同じ作品をホメロスの『オデュッセイア』の文脈に置くことによって、そこからフロイトとはまったく違う意味を引き出せることを示した。作品は、このように読者がそれを置く文脈に応じて違った層を見せるものなのである。

ここまで、我々は、当たり前の日常を異化する装置を近代文学がどのように装備するかを見てきた。続く第3章では、それを19世紀フランス絵画の革新の中に見ていくことにしよう。

第3章

物象化した世界——経験の「全体性」の喪失

1 フランス印象派の革新

かつて世界の中に住んでいた魔物や神秘は一掃されたのち、世界には新たな幻想や謎が生じている。

ラスコー人にとっては、怒涛の如き動物の群れの動きが驚くべきことであったし、ホメロスにとっては、戦場での運命の変転こそが驚くべきことであった。

ところが中世の職人にとっては、この世を超えた神意を暗示する神秘以外には、すでにこの世に驚くべきことはなくなっている。この世では、それ自体で明々白々に神的なもの・偉大なものなどもはや消滅していた。しかし、17世紀のオランダ絵画においてこそ、現世の脱神話化・脱魔術化は頂点に達する。プロテスタントの信仰は、現世における「神秘」をことごとく偶像崇拝として禁欲的に排除したからである。

オランダ絵画は、日常のあらゆる細部が全世界につながり、それを映現するミクロコスモスであることを実感させる限り、世界市場の成立とプロテスタントの信仰にかなったものであった。世界のどこにもどの瞬間にも、神秘も魔物も、特権的に意味深いものは存在しないのだが、どの部分でも直接世界市場につながり、世界の全体を反映しているゆえに、どの部分にも世界の調和的全体が含意され、絵画の題材となり得た。このような世界観の哲学的表現と言えるのが、スピノザとライプニッツの形而上学である。スピノザにおいては、我々のいかなる認識も、全体としての神の思惟という「神の属性」の一部としてのみ意味を持つとされ、ライプニッツにおいては、いかなる魂も「宇宙の生きた鏡」として、宇宙の全体をそれぞれの観点から映現していたからである。そのいずれにおいても、実在的な悪や非合理性は存在せず、個と全体は「予定調和」の関係にあるとされた。

しかしその後、世界市場による個と全体の予定調和が信じられなくなると、日常世界の克明で細密な描写は、取るに足らぬ瑣末事しか表現しないと見えてくる。商品生産が高度に技術化されればされるほど、そのような事物から織りなされる世界は、それぞれ分裂した意味（商品としての意味・大量生産技術の結果としての目的合理的意味）のみをひたすら帯びることになり、張りぼてのような風景が広がるばかり。それは、ドン・キホーテにとって目の前に広がる日常的世界がそう見えたのと同様に、退屈きわまりない風景であった。このようなとき、絵画の伝統が達成してきたような表現を再び達成するためには、画家たちはもはや伝統的な手法に頼ることができない。

芸術が「ありのまま」から迂回する必要を感じた例としては、フランス印象派のことを考えてみたらいい。19世紀のいわゆるアカデミーの絵画が因習的技法に流れ、我々の感性の呪縛と化したとき、その伝統に反逆した独立派の画家たちが、後に「印象派」と呼ばれる冒険に乗り出した。彼らを無意識に捉えていたのは、このような感性の呪縛からの解放である。

アカデミー絵画は、ひたすら描写技術を精密化した。ビロードとか毛皮の質感を画布に忠実に反映する技術などが、それぞれ追求されたのを、我々は当時の代表的絵画の上に見ることができる。それではアカデミーの絵画に対する印象派の画家たちの挑戦は、どのような意味をもつのであろうか?

彼らの技法上の特徴から言えば、それは筆のタッチを残す手法であったと言えよう。ラファエロやダ・ヴィンチの絵画に特徴的であった色のグラデーションを丹念につけるのではなく、タッチを残す筆跡は、いわば一筆ごとに色合いが非連続に変わる。そのかわり一筆一筆は、それぞれが同じ色の絵の具で非連続的に色づけられる。これは、さながらいくつかの色紙を貼り付けて絵を作る切り紙細工のようなものになる。

これはグラデーションが含むはずの色の多様さを排除し、はるかに少ない色で画面を大きく区切っていくことになるから、いわば画家が手持ちの手段に自ら制限を加えながら絵を描くに等しい。ちょうど、画素数の少ないモザイク状の写真のようなものである。

どうして画家は、自ら使える技法や手段にわざわざ制限を加えるようなことをしようとするのであろうか？　それを理解するためには、彼らの時代、風景が産業革命を経て一変したことを勘定に入れる必要がある。そこには、技術的に生み出された製品ばかりで埋め尽くされた風景が広がっていた。

新品の製品で埋め尽くされたシステム・キッチンのような風景が、伝統的な、たとえばオランダ絵画のような絵になり得ないことは想像に難くない。20世紀後半の絵画史に登場したアメリカのスーパー・リアリズムと言われる絵画には、実際このような新品のシステム・キッチンのような題材が描かれたり、街角のショーウインドウなどが、写真にまがうばかりの克明さで描かれたりもしている（実際には現実の写真では焦点が一点に集中するので、画面のどの部分も同じ克明さで現れるわけではない。スーパー・リアリズムの絵画が「不自然なまでにリアル」と感じられるのはそのためである）。そのような場合、フェルメールの《牛乳を注ぐ女》とか《デルフトの風景》のような絵とは、似ても似つかないものになっている。フェルメールが描いた風景にあったような生活感がきれいに拭いとられ、いかにも寒々しい死の世界のような風情をたたえているのである。

工業製品は、それぞれ技術合理的な意味を我々に押し付けてくるが、製品相互には何の連関もない。我々の生活はそれらの技術的意味によって分断され、全体の統一を欠くようになっている。漬物石であれば、漬物石でなくなってからも、たとえば庭石に使えるかもしれない。石は、それが置かれた文脈によって、さまざまの多様な意味を帯び得る。したがって、それを配置した風景は、他の石や木とさまざまな可能的文脈を作ることができる。たとえば、何らかの山とか河に模することができるかもしれない。これは、それらが織りなす状況には、何らかの山水風景とか生活環境を見出し得るということである。

ところが、たとえば冷蔵庫とかテレビなどは、冷蔵庫やテレビであることをやめたら、もはや何の使い道もないただのゴミになってしまうだろう。それらを庭石の一部に使うことなど思いもよらないことである。それらの製品は、すでにあまりにも強烈に製品としての意味を発散しているため、それ以外の文脈を見出すことができないからである。こうしたことは、さびれたデトロイトの工場の廃墟とか、打ち捨てられたカリフォルニアの金鉱の町の方が、貧しい古風な農村風景よりはるかに荒んで見えることにも現れている。新しいものは、古いものよりもはるかに老いやすいのである。

印象派が登場したころ、彼らの前に広がる風景はすでに工業生産の製品で満ちていて、それを忠実に写生したとしても、もはや絵にならないという彼らの直感的判断には十分な根拠があった。なぜなら、絵画は生活の直観的縮約を達成すべきものと、彼らも考えていたからである。その時代、冷蔵庫やシステム・キッチンはまだ存在しないが、蒸気機関や鉄道関係建造物を好んで描いた彼らの前には、フェルメールやロイスダールの当時の風景からは、すでに産業革命を経て一変した風景が広がっていたのである。

絵の題材としての風景を失った画家たちは、みずから描写の技術を制限することによって、偶然の要素を絵に導入した。もしアカデミー絵画のような技法で、技術製品のような対象を描写するなら、彼らの絵はほとんど細部まで写真のように決定されたものになってしまい、偶然の要素が消えてしまうだろう。それは、彼らが解決すべき課題がもはや存在しないことを意味する。とりわけ、製品の技術的意味の乱立によって分断され、ばらばらに切りさいなまれた生活に、世界とその経験の実在性と全体性を取り戻すという課題がなくなってしまうのである。

そこで、印象派の画家たちは、みずからの画家としての本能に導かれながら、対象からさしあたり製品としての意味を剝奪し、それをただの色彩の断片に還元することから始めたわけである。冷蔵庫はただの白い広がりでしかなくなり、色の断片なら、そこからどのように実在性を浮かび上がらすかという課題が、あらためて画家たちに与えられるだろう。そのとき初めて、「冷蔵庫」という記号によって覆われていた実在世界が、生きいきと立ち現れるだろう。

彼らを悩ませていたのは、シラーが謳ったように「現代の生活様式が強烈な力で引き裂いたものを、芸術の歓喜の魔法によって再び結び付ける（deine Zauber binden wieder was die Mode streng geteilt）」ことであり、ヘルダーリンが『ヒューペリオン』の末尾でドイツについて記したように、「職人ならいるが人間がいない。哲人はいるが人間がいない。僧侶はいるが人間はいない。主従や分別盛りはいるが人間はいない――手や腕や五体バラバラに散らばって流血砂にまみれた戦場の様ではないか？」といった支離滅裂な分裂状態の克服こそが、近代の芸術家の課題となっていたのである（ヘルダーリン［1966］）。

技術が押し付け、製品が固定化する（機能としての）意味をいったん白紙に戻し、ただの色の断片から対象を構成し直すという風に印象派の技法を記述するなら、「自然を円筒、球、円錐によって扱う」というセザンヌの言葉と本質的に違わないことがわかる。なぜなら、自然を円筒、球、円錐に還元することも、そこから製品としての意味を奪うことを意味していたからである。

こうして19世紀後半の印象派の冒険は、セザンヌを経てキュビスムに受け継がれていく（キュビスムは、対象を立方体に還元することによって対象から意味を奪った）。またコラージュの手法（新聞紙の切れ端などを画面に張り付ける技法）やジャクソン・ポロックの技法（絵の具を画布の上にランダムに飛び散らせる技法）など、20世紀の絵画においては、技術から偶然性を開放する試みが次々に生まれてくることになった。

2　名作は観客の期待を裏切る――ラ・ベルマの演技

印象派の冒険が明らかにしたのは、我々の知覚が、物象化された世界において、いかに対象の機能的意味・記号的意味によって幻惑されてしまうかということであった。我々が工業製品を知覚の対象とするとき、そこに商品としての機能的意味しか見出せない。それらは、バラバラの部分の集積をなすばかりで、その中に我々の生活世界の生きられた有機的全体を陥没させてしまう。かくて、我々の知覚経験からは記号化され機能的連関に縮減されたもの以外を拭い去ってしまう。

印象派の画家たちは、オランダ絵画がかつて目指していたような生活の全体性の表現をもたらすために、すべての対象からまず意味を剥奪する必要があった。そうしてこそ、知覚経験の中で生きられていた意味が画布の上にもたらされ得るからであった。

メルロ＝ポンティは、セザンヌの仕事について論じながら、次のように記している。

〔セザンヌは〕生まれ出でようとしている秩序を描こうとした……セザンヌが描こうとしたのは、この原初の世界であって、同じ風景の写真が人間の工作や彼らの便宜や彼らの切迫した現存を暗示するのに引き換え、彼の絵が原初の姿における自然の印象を与えるのはそのためである。

（メルロ＝ポンティ〔1970〕『意味と無意味』23頁）

近代の芸術家たちは、多かれ少なかれこのような日常経験の幻惑を批判することから己れの仕事を開始する。セルバンテスが中世の騎士物語に幻惑されたドン・キホーテの姿を描くことで、一見すると物語の批判だけをしているように見せながら、同時に彼の幻想によって異化された退屈な日常生活をも批判していたように、近代芸術は、脱魔術化された世界の新たな幻想を批判することになる。

プルーストの『失われた時を求めて』の幼い主人公は、崇拝する作家ベルゴットが称賛している女優ラ・ベルマの演技を見たいものだとかねてから熱望しているが、なかなか両親の許可が下りない。しかし、やっとのことで許可されて見ることができたラ・ベルマの演技は、思ったほど彼を感心させない。いったいなぜなのか？

主人公は、名優についての一般的観念をすでにもっているが、実物はそのような観念には一致しない。それは、世間で通用しているイメージにすぎず、おおよそ観客が見たいと思っていることを提供するものとして流通しているにすぎない。つまりそれは我々自身の欲望の投影にすぎないのだ。

ちょっと極端な例だが、ポルノ小説の場合を思い浮かべてみればいい。そこで活躍する人物たちはすべて、我々の情欲の受け皿として都合よく想定された、およそ現実的とは言えない人形にすぎない。それらの作品がつまらないのは、その想像力が及ぶ範囲が極端に貧困で、類型的なものだからである。それは、いわばラヴ・ドール（いわゆるダッチ・ワイフ）の世界である。

それほど極端でなくても、我々のすり切れたイメージが実態を覆い隠してしまう例は枚挙にいとまがない。我々が素朴に信じているものの多くは、このような類型的なイメージによってほぼ完全に覆われたものであり、すぐれた小説によってその夢のとばりが破られない限り、我々はそのような書き割りのごとき幻想的イメージの中を、右に左に動きまわるだけに終わると言っても過言ではないのである。

芸術は、一般に流通している幻想にひびを入れ、真実を捉える新しい視座を提供するものであるがゆえに、我々に最初は違和感を与えるのが常であり、あまり自然らしくも真実らしくもないように見え、またはわざとらしくさえ思われるのである。

『ボヴァリー夫人』をポルノ小説として読むのは難しいだろう。それは、エンマの夢に我々が乗り切れないからである。エンマの欲望は克明に描かれているが、その想像世界に登場する相手役はいたってしみったれた小者であり、せいぜいのところ小悪党にすぎない。彼らに同一化することはもとより、エンマに同一化することも読者には難しい。エンマの「夢」は空虚で安っぽいものであり、せいぜい社会通念の借り物にすぎない。名作は、その安っぽさを描き出す残酷さにおいて、決して容赦しないのが特徴である。そのことによって、それらの作品は我々の通念を破壊するために、いたって興ざめの印象を残すのである。

まさにその点が、村上春樹氏の作品に散りばめられたフィアット600とかトライアンフTRⅢのようなアイテムとの違いである（村上［2004］『風の歌を聴け』18頁、106頁参照）。もちろん、トライアンフを購入する夢ではなく、せいぜいそのような「都会的情報」にアクセスできるというしみったれた夢が問題なのだが、これらの小道具は、読者をチープな「都会的な生活」の夢に誘い込む魔法として機能しているのである。

名作が開示する真実は、常識には思いもよらないものなので、はじめはその光景に著しい違和感を覚えさせるものである。だが、一旦それを見ることのできた目には、以前のような欺瞞的で常識的な見方に舞い戻ることはできない。

しかし、そうであるからこそ、ラ・ベルマの演技を受け入れられないプルーストの主人公のように、それに対する抵抗も読者に生まれる。だから我々は、すぐれた作品なら、誰にでも容易に評価されるはずだ、などとは言えない。まして、大衆に広く評価されることこそが、名作の証しだなどとは言えない。そこで批評は、作品を評価するだけではなく、作品享受の在り方をも批評の対象に加えることになる。真の批評が、既に存在する批評を批判し、激しい論争を巻き起こすのもそのためである。

3　アドルノの「聴取者類型」

ここで、アドルノの『音楽社会学序説』の中の聴取者類型の議論が参考になるかもしれない（アドルノ［1970］）。アドルノの批評は、ここでは作品を享受する聴取態度の類型に向けられている。たとえば、情緒的類型と呼ばれるものがある。それは、音楽を、もっぱら主観的情念を解放させてくれるものとして消費するような態度のことを言う。他のジャンルでも、映画や新刊小説のキャッチコピーとして「最も泣ける作品」などと言われることがあるが、それは作品の享受がもっぱら感情の発露の手段として理解されていることを示すものである。このような態度自体、聴取者が、もはや主体的理解も分析もできないほど、受動的立場に立たされていることを示している。

我々の日常生活は、精神や注意力などのすべてを総動員して生産に振り向けるべく強制されており、そこでは動員される知性も感性も生産レーンに従属し、ほとんど己れの手を離れるまでに疎外されている。日々の労働に身も心もすり減らしている主体には、酒を飲みながら「泣ける歌」を歌うくらいしか、自己確認をなすすべがない。それさえも、カラオケでは主体に寸分の自由も許さないようにカラオケ機械によって強制されている。労務が厳しければ厳しいほど、余暇には野放図な情念の爆発が求められるのだが、そのわずかに残された余暇活動すらも、ますます類型化され管理された情感発露（カラオケ）にならざるをえないのである。

たしかにチープな映画音楽には、感傷をそそるために計算されたようなところがあるものだが、情緒的聴取者には、それに抵抗するすべはない。神経をすり減らして働く人々は、己れを確信させてくれるものを次々に奪われる結果、自己自身の感性にも欲望にも、確信が持てないくらいになり果てるので、感性の全体主義的管理に抵抗することができない。

これは、日常生活（労働）で業務を前に主観的情念が抑圧され、「禁欲」を強制され続けることの補償作用として理解することができる。それに合わせて、文化産業は類型化された情念の感傷的発露に向けて、計算され尽くした作品を大量生産して、その余暇をも収奪しようと試みるのだ。
このような文化産業の商業戦略に対する正当な反感にもとづき、反動的に聴取態度を決定する者が出現する。それがルサンチマン的聴取者類型である。

情緒的聴取者と極端に相反するタイプが少なくともドイツでは生まれている。それは現代文明が命ずる感情禁止、身振りのタブーを避けて音楽に逃げ込む代わりにそれら禁圧こそ自分たちの専有物だと宣言し、音楽上の行動の規範として選び取るタイプである。彼らの理想は音楽を静的に聴取することである。彼らは一般の音楽生活を、もっともらしく見えはするが気の抜けてしまった代物だとして軽蔑しているが、そこから脱して超越するのではなく、全てを物質化してしまう現代の傾向から保護してくれる——と自分勝手にあてにしている——はずの古き良き時代に逃避する。……かつて私はいわゆる愛好者たちからバッハを保護しようとしたが、彼らもこれに属しているし、バッハ以前の音楽に固執する連中はさらに多い。

（アドルノ［1970］25頁）

ピリオド奏法（歴史的な奏法を現代に再現するもの）への固執とか、「原典忠実主義」とか、楽譜通りに演奏する強迫的厳密さ（トスカニーニ）などは、伝統に対する尊重の現れというより、その生きた精神の欠如の代償でしかない。もっとも、ピリオド奏法や原典忠実主義は、それ自体では良くも悪くもない。ただ、それらが生きた伝統との直接の連続性の欠如を示しているというだけである。

確固たる秩序のもとに飼いならされていない存在、ルバートとか独奏者の技術誇示などに最後の哀れな痕跡を残している自由な放浪者的な性格の存在、彼らはそういったものを根絶やしにしてしまいたいのだ。……主観主義とか表現行為とはルサンチマンタイプにとってはごく深いところでは無秩序と同義なのであり、無秩序を考えるだけでも彼らはやりきれないのだ。ところが……「開いた社会」への彼らのあこがれは強く、先に述べた憎悪でさえも、あえてそれを取り除こうとはしない。そして妥協の結果は模倣を削除した、ある程度滅菌済みの芸術というたわごととなるが、この理想こそルサンチマン型聴取者の秘密である。

（前掲書27頁）

ここで「模倣」（ミメーシス）と呼ばれているのは、概念的に対象化する啓蒙的理性とは違って、自然とどのようにしてか同化・一体化することによって、自然を理解し制御しようとする前文明的態度のことを言う。

ルサンチマン型は、情緒型の商業主義に正当な敵意を示すが、同時に近代的個人主義や主体性にも深い反感を抱いている。それは、とりわけ情緒的とは言えないベートーヴェンの音楽に対する嫌悪に、はっきり現れている。ロマン派には軽蔑を示すが、ベートーヴェンに対しては反感を示すというわけだ。

いずれにせよ興味深いのは、このタイプは、対象を理解しないわけではないということである。たとえば、情緒を拒否する場合にも、情緒を感じないわけではなく、感じた上でそれを拒否する。自分に許されている野放図な感情の解放を意識するがゆえにこそ、反感を持つのである。しかし実際に彼らが嫌悪しているのは、情緒とか感情そのものではなく、むしろそれを許している自由な（あるいはいくらか放埒な）主体性そのものなのであろう。感情の背後に、主体性を一つの脅威として予感しているのである。

この点でこの類型は、逆説的にもアドルノが「音楽に対する無関心な者・非音楽的な者・音楽嫌いな者」と呼ぶ最後の類型に通じるものがあるのだ。この連中は、必ずしも才能が欠如しているわけではなく、権威主義的＝禁欲主義的幼児期をおくったため、耳に栓をしてしまっているのである。

ここで、啓蒙的理性の禁欲主義を代表するオデュッセウスが参照されるべきであろう。アドルノは、『オデュッセイア』を古代において神話的世界からの最初の啓蒙的理性の離脱のアレゴリーとして読み解き、近代的理性の運命を先取りした問題性を、そこに読み取ろうとしている（アドルノ［1990］「1 啓蒙の概念」）。

アドルノによれば、啓蒙的理性は、自然を支配するために自分の内部の自然をも否定し抑圧せねばならない。オデュッセウスは古代における啓蒙の代表として、数々の魔術的神話と闘う。自己克服、ファウスト的克己心――この刻苦勉励する人間類型こそ、近代的禁欲的典型なのだ。

セイレンの歌声に対抗するとき、オデュッセウスは船の漕ぎ手に初めから耳栓をさせてセイレンの誘惑から逃れさせる。他方、自分自身は耳栓をせず、帆柱に結わえ付けさせて、どんなに懇願しても綱を解くなと部下に固く言いきかせて漕ぎ出す。初めから耳栓をされた舟のこぎ手は、自然が提供する快楽を断念することを強制された者（権威主義的に育てられた子供――つまり音楽嫌いの者）であり、オデュッセウスは、その快楽を知りながら、自分を帆柱に縛り付けさせた者である――これがルサンチマン的聴取者。

アドルノの「自然」には、「抑圧された自然⟷抑圧される前の自然」という図式に基づくユトピア的ノスタルジーが見られるのであり、それは「疎外論」一般にみられる理論的弱点を共有している。つまり、歴史上、自然から疎外され続けてきた文明が、今この歴史的段階（ブルジョワ社会）でようやく疎外を克服できるのはなぜか、という歴史的観点が欠如しているのである。加えて、彼が啓蒙に対置する前近代的文明は、レヴィ＝ストロースの登場以後の我々には、いささか古風な偏見にも見える。「前近代的文明」は決して一様ではないからである。

しかしそれはともかく、ここで「理解」とは、文脈を見つけることと考えられている点に注意しなければならない。無理解とは、それを活かす文脈を見出し得ないことなのである。古典的作品に対して、耳栓をしてしまう聴取者は、その作品を現代の文脈の中に生かす適切な文脈を見出せないため、単に古臭いものとしか思えないのであり、他方、ルサンチマン的聴衆は、作品をその当時の文脈から引き離すことそのものに抵抗し、「古き良き時代」に張り付けたままにしてしまうのである。

以上、近代社会は、以前の世界とは違った形で神秘や謎の迷宮を含んでいることがわかる。ブルジョワ社会は、以前とは違う形で我々を幻惑し、新たな神話で包んでしまう。資本や貨幣はその一部だが、それだけではない。官僚制も権力も個性も全体性も新たな幻想を造り続ける。それはしばしばプルーストやカフカの悪夢のような世界であるが、彼らによって描き尽くされるまではそのことにも気づかれない。

かくて近代小説は、日常生活によって慣習化され、眠り込まされた見方そのものを打破するために、作品ごとに新機軸を打ち出す必要に迫られる。作品そのものが、以前の文学によって慣習化された見方に対する批判を含んでおり、新たな視角から世界を描き出そうとするのだが、それと並行して批評そのものが新たな独立したジャンルとして登場することになる。それは、作品がもたらした新しさが、読者に完全に理解されるとは限らないからであり、また新奇さをてらった作品が、思いのほか古い型にはまったものであることも多いからである。

4 「全体性」の理念

ブルジョワ社会は、商品や貨幣のいわゆる物神性の神秘によって、すべての事物を人間も含めて貨幣価値によって値踏みすることによって、それらの事物同士の生活連関を分断し、すべてのものからその内在的意味を奪う結果となった。それゆえ、ブルジョワ社会では、すべての問題が経済的な相貌をまとって現れることとなる。生産や消費は言うに及ばず、結婚、子育て、教育、介護なども経済的に意味づけられる。たとえば、結婚は両性の「つりあい」の問題として観念され、子育てや教育は、将来の労働力への投資として観念される。医療や介護は、経費の問題として、危険や安全は保険の問題と見なされる。これが物象化現象である。

ルカーチは、マルクスが『資本論』において展開した、商品など「価値形態」の物神的性格と、マックス・ヴェーバーの社会学における「合理化」「脱神話化」のテーマを結びつけて、人間関係すべてが商品と商品との物象的関係として現象する資本主義社会の「物象化」を論じた（ルカーチ［1975］『歴史と階級意識』）。ルカーチは、もともと新進の文芸批評家としてドイツ語文化圏にデヴューし、ハイデルベルクのマックス・ヴェーバーのサロンの常連であったが、第一次世界大戦の危機において、戦争反対の立場からヴェーバーとたもとを分かち、ハンガリーの共産党に入党し、短命に終わったハンガリー革命に加わった。当時スターリン主義者に牛耳られていたコミンテルンの異端的一員として、東西両陣営からしばしば激しい批判にさらされながら、波乱万丈の生涯を送った美学者である。

近代小説はルカーチによれば、一方で世界市場が準備した世界の全体性というものを背景として成立しながら、他方において、商品の物象化が世界を覆い、それによって経験の全体性を分断し、資本の破壊的運動に奉仕させる――そういったすべてのものへの抵抗と課題を表現していることになる。ここにおいて、「全体性」の意味は二重になっている。世界市場としては実現された全体性が、経験の全体性としては破壊されているのである。ここから、人間の真の全体性を回復するという幾分ユートピア的政治課題が、労働者階級に期待されることになる。それは、労働者階級のみが、自ら労働力商品という実存規定によって、物象化をいかなる留保もなしに全面的にこうむる存在であり、労働力商品という彼らの実存的自覚（階級意識）が社会の普遍的認識＝実現（歴史）につながる「客観的可能性」をもつからである。かくて、（マンハイム流の）知識社会学的な観点相対主義の果てに、つまり労働者階級という特殊相対的観点に立つにもかかわらず、ブルジョワ社会の普遍的認識に至る客観的可能性が保証されるのである。

ブルジョワ哲学が、物象化によって認識を部分的合理性に制約されても、認識主体（哲学者）の実存をこの合理化（物象化）の外部に留保することができる（かのように意識できる）のに対し、労働者階級はかかる留保が許されず、失われた全体性を未来の歴史において実現する、そういうさし迫ったユートピア的政治課題を掲げざるを得ない（とされる）。

しかし実際には、近代文学はその理想を追求する際、ルカーチとそのマルクス主義のようにポジティヴな形で全体性を呈示することはなく、セルバンテスがしたようなやり方で、つまり先行する文学を批評し、そこに見落とされていた経験を繰り込む形で、全体性を更新し続けたにすぎない。ジュリアン・ソレルやラスコリニコフは、自分たちの限られた認識を、より広い認識の中に更新し変身せねばならなかったし、フローベールの『ボヴァリー夫人』は、同じように恋愛小説に読みふけった主人公を描きながら、恋愛小説の虚妄を描き出さねばならなかった。こうして文学批判の文学が、絶えず新たな「全体」を見出しつつ新たに批評的に自己を創出し続けたのである。このような批評を含んだ文学創造は、幾分かシュンペーターの起業家によるイノヴェーションに似ているかもしれない。

このような批評性と全体性という二つの要請は、他の近代芸術にも及び、そのことを掲げる営み総体を芸術として統括する理念となっていく。

芸術というジャンルの統一性の意識をもっとも端的に表現しているのは、ヘーゲルの『美学講義』であろう（ヘーゲル［2017］）。そこでは、芸術が「絶対的理念の直観的表現」とされている。「絶対的理念」とは、それ自体でその根拠づけを持つような自律的価値を体現する理念、つまり包括的全体のことである。たとえば宗教はそのひとつである。宗教的価値は他の経験によって根拠づけられることなく、自律的に自らを価値づけている。「直観的表現」とは、学問と違って、概念的認識ではないということである。宗教にせよ芸術にせよ、本質的には、自らを概念的に説明することはできない。何を信じているのか、何が我々を魅了するのかについて、宗教や芸術の内部で概念的に理解することは難しい。その点で、それらは絶対的理念ではあるが、哲学より一段低いものとヘーゲルには位置づけられているのである。

だが、ここで興味深いのは、そのことよりも、芸術が絶対的なものと認められたことであろう。つまり、それは快楽のためとか、気晴らしのためといった従属的なものではなく、自己目的な価値を持つものであり、宗教のようにある意味では、つまりある観点からは、我々の経験の全体を総括するようなものの一つとして認められているのである。18世紀以後、宗教的寛容が説かれ、ブルジョワ社会の世俗化が進行するとともに、芸術の権威が高まり、人はかつて教会に集うときのような敬虔さで、劇場やコンサートホールに集まるようになる。

このような事情を、ゲーテの『ヴィルヘルム・マイスターの修業時代』の一節に見ることができる。これは、主人公ヴィルヘルム・マイスターの成長を描くいわゆる教養小説である。教養小説は、個人の主観的世界観と社会の普遍的世界との衝突と和解を描く近代小説のひとつの典型である。

演劇を目指す主人公は、社会が人間の全的な発展を保証するものではなくなっていることをすでに感じている。ドイツでは、あくせく経済的に動く必要のない貴族であれば、個人としての人格的完成を目指すことが容易であるとしても、と前置きしつつ、主人公は続ける。

市民は有用になるためには個々の能力を磨き上げなくてはならない。そして一つの道で役に立とうと思えば、他のすべてをおろそかにせねばならぬのであるから、彼の全存在には調和というものがなく、また有り得ない。

（ゲーテ［1958］第五巻第三章、153頁）

市場社会では、分業と合理化（部分的技術的洗練）が、市場競争の圧力の下で進展する。その結果、諸個人は労働力としては、ますます単純化・部分化した役割に格下げされ、人格的完成から遠ざかることになる。

そんな中で主人公ヴィルヘルムは、己れの「資質の調和的完成」が「ただ舞台の上においてのみ見出される」と確信するのである。つまり、すでにこの段階で、ブルジョワ社会の課題（「現代の習俗が強く引き裂いたものを再び結びつける」とシラーが歌ったこと）が芸術にのみ期待され得るのだ、という近代芸術の理念が自覚されているのである。

共同体の絆から諸個人を解放し、世界の統一の理念を啓示した市場経済が、同時に新たに人々を引き裂き、また人間を生産のためのネジのようにしてしまうという新たな桎梏が生じている。むしろそれこそが、近代芸術に固有の課題を与えているともいえる。それが、調和的全体性の表現という課題である。

しかし、社会の全体から隔絶されたユトピア的世界が、小社会（白樺派の人たちが夢見たようなコンミュン）としてであれ、作品世界（クロード・ロランの古代風景画のような[7]）としてであれ、本当に可能なのであろうか？　その場合、コンミュンも作品も、この隔絶そのものからくる傷痕を刻み付けられないだろうか？

というのも、『ヴィルヘルム・マイスターの遍歴時代』の末尾は、産業革命の前夜にすでに萌し始めた暗い影を描いており、それを作品内部で解決することを断念しているように見えるからである。主人公が、旅の途中で出会うレナルドーという人物の日記という文章があり、その中で、恋人ナホディーネの口を借りて同時代が押し付ける問題が語られている。

「私〔ナホディーネ：かつてのレナルドーの恋人〕の心を押さえつけておりますのは、商売上の心配とは申しましても、目前のことに対してではございません。いいえ、未来にわたることなのです。目下優勢になってまいりました機械工業が、私を苦しめ、私を不安にいたすのです。それは雷雨のように、ゆっくりゆっくりとやってまいります。けれども、すでにその方向は決まっているのですから、やがてやってきて爆撃することでしょう。……

この場合、二つの道が残されているだけですが、どちらも悲しい道でございますわ。自分で新しいもの〔機械設備〕をつかんで、災いを早めるか、それとも最も優れた恥ずかしからぬ人たちを一緒に連れて海の向こうにもっと良い運命を求めるために飛び出していくか……」

（ゲーテ［1958］551頁）

結局、レナルドーもヴィルヘルムもそのほかの主要人物も、ことごとくアメリカの新天地に旅立つことで、この物語は閉じられる。このことは、作家が自分の作品世界の中でだけでも、「調和した完成」を断念していることを意味している。[8]

近代芸術の代表である小説は、すべての経験を全体として描くことを本領としたことによって、あたかも市場の普遍性に対応した作品世界の普遍性を実現するように見えた。たしかに近代芸術は、世界の一切の境界を打ち消し、視野を共同体から世界の全体へと広げただけでなく、あらゆる意味や幻想をすべて合理的に理解できるように経験の全体を参照することを企てた。この過程は、市場が世界の隅々にまで拡大の手を広げ、すべてを緊密な連関に置いた経済的経験と類比的なものである。

これは、夢や理想を描くだけでなく、そのようなものを上演している舞台裏をもすべて描き尽くし、批判的に吟味するという様式――近代小説という様式に特徴的なことである。小説は、自由に他の芸術分野を批評的に吟味し、登場人物たちを捉えているオブセッションや偏見、願望や夢、信念や幻想、それらすべてを説明し尽くす装置を備えているのだ。

この点で小説は、すべての理念を知に還元するヘーゲルの哲学を体現した芸術様式と言うことができる。ヘーゲル哲学では、以前は独立した価値や権威を持っていた宗教や芸術や国家といったもの、道徳や人倫といったものを含めて、すべてそれがなぜ価値あるものと見なされるのか、なぜ人々はそれを欲望するのか、総体の知を与えることが目指されている。

ルカーチのようなマルクス主義者は、ブルジョワ芸術が本来持っていた全体性の理念――物神性の幻想と部分的合理性の中で引き裂かれたブルジョワ社会に全体性を回復させるという理念――の要求からマルクス主義に接近した。そして、部分的合理性の追求が、全体としての無秩序と戦争の破局へと突入していったことを目撃してルカーチは、ブルジョワ芸術が掲げた理想が、資本主義的市場の廃棄とともに、一挙に実現してくれる（はずの）世界革命のユートピア的ヴィジョンに賭けることになった。それは、ブルジョワが放棄した理念をプロレタリアートが代わって担うことを期待するものであった。

たしかに、古典的なブルジョワ芸術は潜在的に全体性の理念を目指していた。たとえば、いわゆる教養小説は、共同体の絆から自由になった個人が、市場社会の冒険に乗り出し、当初の夢や幻想に敗れながら、社会との和解にこぎつけるという筋書きをたどるが、この個人の経験の中で、さながらヘーゲルの『精神現象学』のように、諸観念、諸信念が試練にさらされる。そして、その限界を突破しながら、やがて世界の全体認識へと導かれる。それと同時に、主体は自己自身の等身大の自己認識に達するのであり、彼の世界認識の中にすっぽり自己の存在を位置づけることができるようになっている。これが、「個と全体の和解」である。

このようなブルジョワ文学の理想は、古典的ソナタ形式と、とりわけ古典的ヴァイオリン協奏曲の理想に正確に対応している。他の協奏曲、たとえばピアノ協奏曲などと違って、ヴァイオリン協奏曲の独奏パートは、もともとオーケストラのトゥッティ（全奏部分）の一員に過ぎないが、次第に独立性を高めてくる。たとえば、ヴィヴァルディのコンチェルト・グロッソという様式（複数の独奏者を持つ協奏曲）の多くの協奏曲は、その過程をつぶさに表現している。有名な『四季』で、「春」の部分では、いくつかの独奏パートはほとんどトゥッティに埋没しているが、「冬」においてはほぼ独奏者は完全に独立しているように見える。

このように、トゥッティから独奏パートが自立してくる過程は、共同体から個人が自立し、ついには一個人として世界全体に対峙するに至る近代的個人の心理的成長と対応している。個人として社会の全体に対峙する主人公を描いて、バルザックの作品『ゴリオ爺さん』の末尾を飾る青年ラスティニヤックの言葉ほど象徴的なセリフはない。

「さあ、これからはパリと俺との一騎打ちだ。」

（バルザック［1974］）

こうして、個人（独奏ヴァイオリン）はついに一人で全世界（トゥッティ）に対峙するに至る。これこそが、古典的小説と古典的ヴァイオリン協奏曲が共有するブルジョワ的理念であると言えるだろう。

おおよそ、教養小説はそういうブルジョワ的近代的個人の物語であり、そのような個人に対して、世界は一つの全体として現れる。したがって、このような教養小説においては、世界の全体性の理念が表現されることになるのである。なぜなら、世界の中に生じた謎は、おしなべて世界の中で解かれ、個々の部分の意味は、全体の中で見出されねばならないからである。経験の意味の弁証法的探究が、経験の全体性を参照するというのはこの意味である。

しかし、現実社会がいよいよ険しく分断され、人間性が疎外されればされるほど、芸術に対するユトピア的和解への要求は高まるのであり、その結果芸術は、この要請とその達成の困難性のあいだで、いよいよ引き裂かれないわけにはいかない。これが、近代になってにわかに芸術に対する世界観的意義（絶対理念としての価値）が高まる原因である。

それが証拠に、古典的ヴァイオリン協奏曲はたちまち廃れていく運命にあった。それは、この様式が、もっとも端的に「個と全体の和解」というドラマを体現したものであろうとしていたからであり、ブルジョワ社会の成熟とともに、その不可能性がいよいよ明らかにならざるを得なかったからである。

シベリウスのヴァイオリン協奏曲など少数の例外はあるものの、古典的ヴァイオリン協奏曲は、ほぼ19世紀のそれにとどまり、20世紀にはほとんどめぼしいものはない。

注目すべきはバルトークである。バルトークには優れたヴァイオリン協奏曲が二曲あるが、いずれも他のバルトークの曲に比べると、やや古風な印象を与える。たとえば《オーケストラのためのコンチェルト》と比べれば明らかだろう。そして、この協奏曲は、いわゆるコンチェルト・グロッソ様式を取っているのである。つまり、より古い様式を採用した《オーケストラのためのコンチェルト》の方が大胆に「前衛的」であるのに、古典的協奏曲の形を踏襲した二つのヴァイオリン協奏曲の方が、より古風なものになっているという逆説が成り立つのである。

この点で、トーマス・マンの『ファウスト博士』の中に描かれた現代作曲家アドリアン・レーヴェルキューンの作風について、殊にそのヴァイオリン協奏曲について、マンが次のように記しているのが参考になるかもしれない。

それは、音楽的な姿勢が名演奏家、演奏会向きで一種愛想がいいために、レーヴェルキューンの仮借なく急進的で譲歩する所のない全作品の枠からすると少々外れている、という意味のものであった。

（マン［1974］38章、101頁）

トーマス・マンが、バルトークの曲を念頭に置いてアドリアンの協奏曲について述べているのではないにしても、明らかにマンは、現代におけるヴァイオリン協奏曲の運命について、「いくらか時代遅れのもの」と見なしていたに違いない。

ともあれ、ルカーチが固執した近代芸術における全体性の理念は、現代では欺瞞的なものと見なされるようになっていく。それも当然であろう。近代市場原理が、マルクス主義者が考えたほど普遍性をもちえなかったからである。「プロレタリアート」の存在可能性が、ルカーチが考えたようには一様ではなかったこと、とりわけ、賃労働者とその配偶者の「客観的可能性＝階級意識」が食い違うことは近年のフェミニストが指摘したところであり、出産・育児を含む「家事労働」が完全には市場化できないことは明白だ。したがって、プロレタリアートが資本主義社会のあらゆる問題の解決のカギを握っているということも、あらゆる問題が経済問題に還元できるということもない。

たとえば、我が国の伝統的家族制度には、嫁と姑の対立という問題が常に随伴すると言われる。これは一説によると、家族の権力（家業や財産など）が父から息子へと継承されるのに対し、家族の文化（消費性向）が母から娘へと受け継がれるというねじれに基づいている。つまり、家業を受け継ぐ息子は、やがて母の文化から妻の文化へと移行し、それにつれてその家の家計の主導権は、姑から嫁に委譲されねばならないことになる。ここに嫁と姑の宿命的葛藤が起こるというわけだ。それが証拠に、権力も文化も家父長的に受け継がれるインドでは、姑も嫁も非常に弱い立場にあるので互いに協力することを余儀なくされる結果、我が国におけるような嫁・姑問題は起きないのである。

ここで、女性が独立した賃金労働主体になれば、この問題は解消されるか、緩和されることがわかるが、そのような「解決」は、社会制度や文化を改変する政治的解決であろう。労働者（特に男性の労働者）の経済的実存から自然に流出するものではないのだ。したがって、世界市場の逆転した対応物であった芸術作品も、全体性を体現する必然性はないことになる。

そもそもルカーチの「全体性」には何かあいまいな所があった。それは、ブルジョワ社会が分業と物象化による部分的合理性の追求によって引き裂かれてしまったという、ゲーテともシラーともヘルダーリンとも共通した批判的認識に発したものであった。このような物象化した資本主義社会に対する批判の鋭さと対比して、見出されるべき「全体性」が著しく具体性に乏しいことは認めざるを得ない。部分的合理性の進展が、あげくの果てに全体の非合理性と市場の無秩序をさらけ出し、恐慌をもたらすということがたとえ論証できたとしても、その果てに目指されるべき、有機的に結びついた社会のユトピア的全体性は、いかにして実現できるのであろうか？

そもそも資本主義の問題が鋭く提示されたとしても、それに対する正しい解決が存在するとは限らない。まして、唯一の解決があるとは限らない。マルクスは、『経済学批判』の序言において次のように記している。

人間が立ち向かうのはいつも自分が解決できる課題だけである、というのは、……課題そのものは、その解決の物質的諸条件がすでに現存しているか、または少なくともそれができ始めている場合に限って発生するものだ、ということが常にわかるであろうから
（マルクス［1956］序言）

これは、問題には常に解決が、その認識とは独立に一義的に決まっている（実在している）という強い実在論的見解を示唆するものであるが、それは政治的決断や歴史の偶然の余地を否認する非常に硬直した問題含みの主張である。もし、問題の解決がその認識に先立って客観的に一義的に決まっていると想定するなら、政治過程はそれ自体青写真に基づいて未来社会を制・作・するだけのものになるだろう。その場合、意見の多数性を考慮することも、異なる意見を説得することも、なんとか妥協をはかることも、また当然、主体的決断の意義を正当に評価することも、不可能になる。「歴史の必然」ばかりが幅を利かすところでは、いかなる政治的失敗も、せいぜい「時期尚早」としか言えないからである。我々は、たとえマルクスの資本主義分析の多くを受け入れたとしても、その唯物論的政治哲学を受け入れる必要はない。

たとえば、恐慌と不況の危機から帝国主義戦争に導かれるというのは、決して「歴史的必然」ではない。単に愚かしい政治の失敗に過ぎない。また、資源の最適配分をいかにして市場以上に合理的になすことができるのであろうか？　それが巨大な官僚機構と巨大なコンピュータを備えた統制権力によってであるとしたら、それでも残らざるを得ない将来の不確実性に対

して、この権力はどのようにして備えるのであろうか？　その権力の暴走をコントロールすることは、いかにして可能だろうか？　権力の暴走は、市場の暴走より人間にとって耐えやすいものだろうか？　これらの問題は、すでにマックス・ヴェーバーが頭を悩ませながら解決を見出せなかった問題だが、ルカーチとその仲間たちは、的確な解答はおろか、そこに真正の問題さえ見なかったように思われる。

ちなみに、このようなことになるのは、ハンガリーやロシアなど後進地域における革命の課題が、主として前近代的土地所有の克服にあったからであり、その為に強大な指導力と権力の集中が求められたからである。多くの場合、土地の私的所有権を否定した共産主義者のリーダシップのみが、そのことに成功した。植民地からの独立を達成した開発独裁権力が、いざ近代化をめざして農地改革に取り組むや否や、大土地所有者の影響下にある陸軍のクー・デタに阻止されるのが通例である。

このような地域では、ブルジョワ議会主義はまったく機能しない。それというのも、前近代的小作制度の下では、基本的に物納が支配的であり、小作農がわずかなりとも貨幣を手にするチャンスがないので、市場のニーズに応じて農業経営のために投資する可能性も動機も存在しない。それゆえ、彼らには「読み書き、そろばん」の必要性が感じられない。かくて、普通選挙制度の基礎をなす初等教育が行き渡らないのである。そして農村部での選挙は、「えらいさん」の言いなりに軍部を支持する反動的政治勢力が圧倒的に支配することになる。

前近代的土地所有の克服、貨幣収入の有無、初等教育への動機づけが、互いに相まって社会の近代化にとっていかに重要であるかがわかるだろう。農地改革なしに、真の近代化はない。日本帝国の場合、農地改革は進駐軍の権力によってはじめて可能になった。アメリカ南部諸州では、南北戦争の暴力によってはじめて、奴隷制度に支えられた大土地所有制が克服された。韓国では、過酷な内戦が地主勢力を一掃した。ロシアや中国やヴェトナムでは、共産党の権力が同様のことを成し遂げたのである。強大な権力によって大土地所有者の政治勢力を一掃した後であれば、市場原理の導入は爆発的な経済発展を可能にするのである。

しかし、ルカーチの「全体性」は、いつの間にか世界全体の客観的認識（全知）へと硬直化し、芸術家の課題がその「反映」と観念されるや、あたかも世界の全体性の認識と表現が問題であるかのような錯覚が生じる。マルクス主義においては、当初から「唯物論」と「弁証法」のあいだに潜在的対立が存在していたのであるが、ルカーチの歩みは、唯物論が弁証法を呑み込む方向で展開してしまったのであろう。

メルロ＝ポンティは、ルカーチの全体性を「経験の全体性」として特徴づけた（メルロ・ポンティ［1972］『弁証法の冒険』43頁）。それは、初期ルカーチの弁証法のもっとも実り豊かな解釈であった。それを、後期ルカーチに見られるような硬直した客観的世界全体の認識（反映）とは、明確に区別しなければならない[9]。物質的世界の全体に訴える「唯物弁証法」と違って、「経験の全体性」に訴えるメルロ＝ポンティ流の「弁証法の冒険」が、いかなる姿を取るものなのかを見るためには、実際の小説作品の実例を参照するべきだろう。たとえば、プルーストがスノビスムといった現象を「経験の全体」においてどのように描いているか。

5 『失われた時を求めて』にみるスノビスム

たしかに近代小説では、謎が提示されるだけでなく、それが解明される。すべての謎は経験の全体を参照することによって解明されねばならない。それが世界外的な超越的神秘によって説明されるのであってはならない。

たとえば、プルーストはスノビスムの欲望を単に描き出すだけでなく、その本質を抉り出すように解明していく。たとえばルグランダン氏——主人公一家の知人のブルジョワで、娘をカンブルメール家に嫁がせることによって、かろうじて貴族社交界の片隅につながっている人物——彼は、幼い主人公を普段は実に親身に扱ってくれるのだが、他方で、貴族社会の一員と一緒にいる所で主人公やその家族と遭遇すると、そっぽを向いて気付かぬふりをする。つまり、単なるブルジョワ家庭である主人公の家族を、彼の高貴な知り合いに紹介することを避けようとする。また、スノビスムに対する厳しすぎる指弾をする一方で、自分に門戸を閉ざしている上級社交界に対するルサンチマンを持っていることがわかる。

スノビスムは、上流の人々、または有名人と交流したりかかわりを持ちたいという欲望であるが、スノッブはそれを高貴な身分という実体そのものが発している魅力だと思い込んでいる。しかし、そのような欲望自体、社会的関係が生み出す幻想的効果にすぎない。つまり、ちょうどマルクスが商品や貨幣の物神性と呼んだような現象が生じているのだ。たとえば、貨幣が持つ購買力（流動性）とか資本の持つ増殖力（利子を生み出す利子生み資本の力など）は、複雑な社会関係全体によってもたらされた効果にすぎないのに、我々はそれを貨幣や資本自体が持っている神秘的本性のように考えてしまう。これと同じようなメカニズムが、スノビスムにも働いているのである。

つまり、ある種の物神化、惑溺、固着——つまり文脈忘却に伴う価値の投影からスノビスムの欲望は生じているのだが、スノッブはそれを、高貴な身分自体が持つ神秘的な力であるかのように錯覚するのである。

スノビスムは、「高貴なもの」へのアクセスを求めながら、そのような欲望を自己肯定の文脈に置くことができない。それは、「自分は高貴ではない」ということを意識しているからであり、高貴なものとの関係で常に自分を劣位に置き、それを求める欲望を己れの劣位の現れとしか考えられないからである。それゆえ、この自己意識を否定せざるを得ない。しかし同時に、そのことによってかえって幻想のヒエラルヒーを肯定せざるを得ない。つまり、スノッブは、自らのスノビスムを否定すればするほど、自らその欲望にとらわれていることを暴露することになるのであり、それだけますますその欲望にとらわれるのである。

しかし、スノッブにとって高貴なものがアクセス不可能なものとなるのは、すでに述べたように、自分自身の見方（パースペクティヴ）のせいなのである。そのようなオプティークに立てば、それが接近不可能になるのも当然だ。それは、閉鎖的なジョッキー・クラブへの入会が困難だからと言うよりも、単にそのような価値実体が、ジョッキー・クラブにも貴族社会にも存在しないからである。それは虹という光学現象が、我々の足では接近不可能であるようなものなのである。

「ゲルマントの城館のご婦人を御存じですか？」と尋ねた主人公に対して、ルグランダンは思わず反射的な反応をする。

> このゲルマントという名前を耳にした途端、我が家の友人の青い目の真ん中に、目に見えない針先で突かれたような褐色の切れ目が穿たれ、それに対して瞳の残りの部分から青い波が分泌されるのが見えた。……ルグランダンはすぐに気を取り直して笑みを浮かべたが、そのまなざしは身体に矢を打ち込まれた美男の殉教者〔聖セバスチャン〕の視線と同じで、いつまでも痛々しかった。
>
> （プルースト［2010］283頁）

スノビスムにとらわれているルグランダンにとって、自分に今まで門戸を閉じているゲルマント家のことを意識することが、心に刺さったとげのように感じられるのである。これら一見取るに足らぬエピソードを書き連ねることで、結果的に、ルグランダンの行動を支配しているスノビスムの論理は克明に浮き彫りになる。そして、彼のスノビスムこそが、そのスノビスム非難の原因だということが解明されるのである。

実際、プルーストが示したように、スノビスム自体は、その深い含蓄によって、正しい社会認識に我々を導き得る重要なアリアドネの糸なのである。問題は、いかなる文脈を見出すかである。

おそらく、スノビスムの基礎には、個々人の人生が、公共世界の中で確かな意味を持つことを認識したいという（それ自体極めて正当な）欲望があるのだろう。それは経験の全体性への欲望に基礎をおいている。ただ働いて日々の糧を得るだけ（蟻塚の人生）で人は満足しない。私的な生活がどのように公共的世界につながっているのかを知りたい。カフカの作品に描かれているように（たとえば『シナの長城』）、たとえ幻想かもしれないとしても、何らかの全体のイメージに固執するのはそのためである。

動物が、自らの本性とその環境へのしっくりとした適応に甘んじ、分を超えた全体の観念への欲望などから免れているのに対して、我々人間のみは、そんな自然的生からかくも隔たってしまっている。それは言語を持つことによってである。我々はそれによって、物語られる主人公としての意味付け、象徴界（言語的世界）の中での主体としての意味付けを求めてやまない。

これが、神話や物語の基礎である。

問題は、このような我々の実存的要請を、実際の上流社会そのものが充足させてくれるはずだというスノッブの物神的錯覚である。

プルーストは、たとえばシャルリュス男爵の姿を使って、最上流社交人すらも、自身、そのような物神を体現して充足するには程遠いことを暴き出す。彼の倒錯には、明らかに逆転したスノビスムが現れている。彼の男色がマゾヒスム的色相を帯びるのは、そのことを示している。スノッブが夢想するようには、彼らは自己充足していないし、公共性・世界性を体現してもいない。シャルリュスが身分ちがいの男色パートナーからの辱めを受けることに喜びを見出すのは、彼の立場からは身分の越境こそが、つまり彼自身の貴族性の蹂躙こそが、公共性への通路と感じられるためなのである。これは、光源氏が身分の低い女性（中の品）に惹かれるのと幾分似ているかもしれない。

ともあれ、このように多角的な文脈に置くことによって、社会的錯視の一つを構成していたスノビスムが、社会的認識の一部を構成することが可能になる。プルーストは、スノビスムに肉薄して、その中に自分の認識論の一つの系を見出すのである。

これは、世界の全体を描き尽くすことなどではもとよりない。単に、一見断片的な現象の内いくつかを取り集めることで、ひとつの意味を浮き彫りにする。現象は相互に連関づけられることによって、その意味を明らかにするのである。その場合「経験の全体性」は、それらの経験が互いに結びついて、思いがけぬ意味を表現することを意味している。その意味の連関から、あるまとまりが与えられるのであり、そこで経験の断片が相互に照らし合って意味付けられる。とはいえ、決してあらゆる経験を統括せねばならないというわけではない。その意味では、「経験の全体性」とは言いすぎであり、誇張であろう。むしろ、ある経験に対して、どのような経験が接続された場合に、それが重要な意味を表現することになるかを見なければならないということだ。それは、もとの経験に他の経験の文脈を与えることであるといってよい。ルグランダンによる「スノビスム非難」という現象が、その見かけの意味とはまさに逆の意味を持つことは、彼の他の行動を文脈として補ってやることによって、はじめて見えてくるのである。

プルーストの中からもう一つの例。それはヴァントゥイユという作曲家とその娘のエピソードである。初めの場面では、主人公の家族がヴァントゥイユの家を訪問する所で、彼の慎み深い性格が描かれる。主人公は家族とは別に、庭から窓を通して室内のヴァントゥイユ氏を眺めている。

そこから見えたのは、両親の来訪を告げられたヴァントゥイユ氏が、大急ぎでピアノの上に楽譜を目に付くように置いたことである。ところが、いったん両親が入ってくると、楽譜をよけて片隅に追いやった。おそらくヴァントゥイユ氏は、自作を弾いて聴かせるのが嬉しくて会うのだと両親に思われるのではないかと恐れたのである。

その後、作曲家が亡くなった後、その娘が同性愛の「悪徳」にふける場面が描かれる。そこで、女友達が彼女を訪問する場面で、あらかじめ父ヴァントゥイユ氏の写真を飾っておくのである。

（前掲書254頁）

ところが外の道路から馬車の音が聞こえてくると、娘は慌ててその写真を手に取ってソファーに身を投げ出し、小さなテーブルをそばに引き寄せて写真を置いた。その昔、ヴァントゥイユ氏が私の両親に弾いて聴かせようと楽譜をそばに置いた仕草とそっくりである。

（同346頁）

作家は克明にヴァントゥイユの娘の「悪徳」の中に、父ヴァントゥイユの慎み深い美徳が、また極端に繊細な気遣いが、姿を変えて現れるのを描いていく。ヴァントゥイユの娘が亡き父の写真をことさらに飾り、その前で「悪徳」にふけることで父の思い出を冒涜しようとするのは、一種の倒錯に基づく。厳格なしつけの下で育った娘は、快楽の断念こそ美徳であり、快楽を悪徳だと教え込まれているために、悪徳こそ快楽だという倒錯に陥るのだ。ここに見られるシニフィアンとシニフィエの逆転は、マゾヒストが苦痛を快楽のシニフィアンとして理解するメカニズムに等しい。だからこそ、ヴァントゥイユの娘の悪徳は、その美徳のシニフィアンだと言えるのである。それは、スノビスムの非難がスノビスムのシニフィアンとなるようなものである。

果たせるかな、ヴァントゥイユの娘は、小説の末尾で再び変身を遂げる。不遇の作曲家であった父の遺品を真剣に管理し、その作品を出版することで、父の遺志を受け継ぐのだ。彼女の悪徳と美徳の弁証法に通暁している我々は、もはやここで驚くことはない。

ここでも、小説が世界の客観的全体を描き尽くすなどが問題ではなく、ただ、ヴァントゥイユの父娘の、世代を超えて受け継がれている文化的・精神的資質を描くために、二つの文脈を接続しているだけなのだ。これによって、一方も他方も、もともと持っていた表面的意味を越えて（たとえば通俗的な道徳的善悪を越えて）、通底する性格的・精神的襞が、印象深く浮き彫りになるのである。

つまり、「経験の全体性」とは、決して経験のすべてを描くことではなく、時と所を隔てて、文脈が結び付き、単独では気づかれなかった意味を解き明かすことなのである。近代小説が描き出す「全体性」とは、事実上は全体というよりも文脈の結びつきなのだ。そして、そのような多角的な文脈の認識を可能にしたのが、近代のブルジョワ社会であり、近代文学であると言えるだろう。

プルーストが描くのは19世紀の社交界である。そこに描かれているスノビスムは、『枕草子』

や『源氏物語』で描かれているような、天皇につながるという栄光と似たようなものなのであろうか？　たしかに、清少納言が描き出す定子のサロンが、中宮という高貴な身分が発するアウラと密接不可分であることは明らかだが、それはプルーストの描く社交界のスノビスムとは似て非なるものである。

平安朝にあって、権力から少しでも遠ざかると、いかに零落の運命が待っているかは、『源氏物語』に残酷なリアリズムで描かれている。末摘花は常陸宮の娘であるが、冬着の新調もできかねるほど零落している。宇治の姫君たちも、八宮というれっきとした皇子の娘である。権力の主流から外れたら、皇族といえどもたちまち日々の生活にも事欠くほどのありさまに陥るのがわかる。つまり、ここでは権力に連なることがすべてであり、それ以外に生き残るすべがない。市民としての私的な営業の余地がないからである。それゆえ権力の中心の発するアウラには、幻想でない実質があったのだ。

このことは、清少納言や紫式部が、下々の者（「下衆（げす）」と呼ばれる）に対して残酷で容赦ない態度をとることを見ても明らかである。貧富の差はあっても同じ人間だという建前もなく、名目的な爵位をありがたがる虚栄とも無縁なのである。

それに対して、プルーストが描いた社交界に出没する貴族たちには、すでに社会的実質がない。社会の実権は久しくブルジョワジーに握られている。したがって、その社交界に蠢くスノッブは、純粋に幻影にすぎないものに突き動かされているのである。しかしそうであればこそ、その「神秘」は、貨幣や資本の「神秘」のように、この経験世界の内部で解明可能なのだ。鬼神が跋扈し、式神が跳梁する平安京の宮廷では、その権力の基盤が皇祖神という経験世界を超えたものであったのみならず、天皇自身さえも、かかる神秘に雁字搦め（がんじがら）めに支配されていた。朱雀帝の退位が、父桐壷帝の怨霊を恐れたためであったことを考えるだけでもそれが知られよう。

6　社交界と文学の教養——バルザック『モデスト・ミニョン』

今や我々は、近代小説がもたらした文脈の自由を、社交界との関係で見ていくことができる。というのは、批評とか、通常とは異なる文脈の発見は、ふつう社交界と言えるような社会制度と不可分だったからである。

近代文学を明治期に作ろうとした先人たちが、我が国に社交界が欠けていたために、さまざまな苦労を強いられたことが偲ばれる。近代小説で主人公たちが動き始めるためには、彼らが社会的に決まりきった役割とか肩書で行動するのではいけない。個人として自由に考え行動するのでなくてはならない。村落共同体が押し付ける顔役とか小作とか巡査といった型にはまりきった人間だけでは、小説にはならない。また、自由な人間がいたとしても、それがたった一人だけでは小説は展開しない。彼らの行動を注視して自由な判断を下す第三者の存在もまた不可欠である。そのような小世界は、一般の工場とか村落共同体とか軍隊といったところには成立しようがない（大岡昇平の『俘虜記』や大西巨人の『神聖喜劇』は、戦後社会のアレゴリーになるという巧みな装置によって、はじめて作品世界として成立した）。

それらの鞏固にこわばった絆から自由な、都会の遊民とか（『吾輩は猫である』『風立ちぬ』）、大学関係者（『三四郎』）、子供社会（『たけくらべ』）、花街や旅先（『草枕』『雪国』『伊豆の踊子』『ある女』）など、日常とは違った場所に、疑似社交界という装置は求められるのが常であった。そうでない場合、我が国の近代文学は、ほぼ作家自身が慣れ親しんだ私生活の自意識を、何のためらいもなく垂れ流しただけの「私小説」になるわけである。そこには、「ありのまま」の意識や経験が、そのままでは常に我々をたぶらかし、その実相を隠蔽する迷宮にとどまるという近代的自意識の片鱗も見られない。小林秀雄はそれを近代的社会性の欠如として鋭く批判している。

わが国の自然主義小説はブルジョワ文学というより封建主義的文学であり、……わが国の私小説家たちが、私を信じ私生活を信じてなんの不安も感じなかったのは、私の世界がそのまま社会だったのであって、私の封建的残滓と社会の封建的残滓の微妙な一致の上に私小説は爛熟していったのである。

（小林［1968］「私小説論」、82－85頁）

我々の言い方では「私小説」においては、社交界と文脈の意識が欠如しているということである。社交界が、ブルジョワ社会に特有のものであることは、言うまでもない[10]。すでに述べたように、『源氏物語』で描かれるような王朝文学の世界では、一見プルーストに描かれるような社交界が見られるように思われるにもかかわらず、そこには市民の私的存立を支えるブルジョワ的経済的基盤が欠けているため、権力が生のまま主人公たちの人生の浮沈を支配しているのである。したがってここには、参照すべき経験の全体が欠けており、人生を左右する諸力は経験を超えた神秘的なものに基礎を置くことになるのである。そして、そこに呻吟する女君たちは、解決不可能な問題を抱えながら、最後にはおしなべて出家に救いを求めるしかないのだ。

さて、『ドン・キホーテ』や『ボヴァリー夫人』においては、文脈を理解できなかった主人公が「文学」の幻想にとらわれて迷路を歩み続け、ようやくそれから目覚めるのは、彼らが死を迎えるときであるが、バルザックの『モデスト・ミニョン』は、同じように「文学の夢」に欺かれながら、やがて逆にその「文学」を活用して新しい認識へと歩み出すことができた主人公を描いている（バルザック〔1974〕）。

ルアーヴルの没落した貴族に生まれながら、文学を読みふけることで自分の狭い世界から飛翔しようとする点では、モデスト・ミニョンはドン・キホーテたちと同類であるが、そこから先の冒険が違っている。モデストは、パリの売れっ子詩人のカナリにファンレターを書く。普通であれば、まったく無視されるか、手ひどい目にあって幻滅に終わる所。ところが、すれからしの詩人と違って、彼の秘書ラ・ブリエールがその手紙を読んで、その心情にほだされて返事を書くのだ。ラ・ブリエールは、カナリになりすまして文通を続ける。モデストは、その心のこもった手紙を詩人からのものと思い込み、やがて心を惹かれてゆく。

さて、モデストの父シャルル・ミニョンが大金持ちになって外国から帰国するところから、彼女の運命は大きく転換する。すると詩人のカナリは、にわかにその持参金目当てに、結婚志願者に名乗り出る。二人のカナリ（詩人と秘書）の間で、モデストは相手を選ばねばならない。さらに遺産目当てのもう一人高貴な候補者まで現れ、三人の間で結婚のためのコンテストが始まる。

モデストが、はじめ自分が恋していると思っていたカナリは、詩人とその秘書の二人いることになり、だまされていたモデストはひどく傷つく。これがドン・キホーテやボヴァリー夫人と同様の幻滅という契機だ。モデストも、彼らと同様に文学（文字・手紙）によって欺かれていた、と言うこともできるだろう。

にわかに持参金を手にしたモデストは、ルアーヴルでサロンを開く。結婚志願者たちがそこでいかなるふるまいをするか、守護天使のような地元の取り巻きに守られた彼女が、そこでどのように人物を見究めるかが、この小説の山場を形成している。

文学（カナリの詩）によって欺かれていた彼女は、三人の候補者が互いに競う小社交界（ルアーヴルのモデストのサロン）において、今度はその文学的教養を実地に応用することによって、そこから真の誠実さを持つ候補者を、正しく選び出さねばならない。

社交界は、単純な二者関係の集まりには還元されない。複雑な「多体問題」の中に、すれからしのダンディを巻き込むことによって、モデストはその正体を見破ることに成功する。つまり、二人だけの関係に加えて、それを観察・批評する第三者・第四者を巻き込むことによって、文脈的な認識が生かされるのである。二者関係では見えなかった側面（アスペクト）が第三者の観点で浮き彫りにされるからである。社交界は文脈の修練の場であり、文学はその予行演習であり、婚約者選別（マッチメイキング）はその完成なのである。

こうしてモデストがそうしたように、誠実なパートナーを選び出すための確かな鑑識眼、容易に結婚詐欺に引っかからないための社交的知恵を学ぶためには、文学の教養が役立つことを、ご婦人方にも殿方たちにも、大いに宣伝したいところ。これは、組織の歯車になりきらないためにも必要な素養だろう。

しかしまた同様に、ライヴァル同士が競い合う議会が、有権者の目を鍛える疑似社交界として役立つことも、大いに強調したい。というのも、議会の原型は社交界にあるからである。もともと王権に比べて弱小であった貴族が結集したのが議会であり、上層市民層をいち早く議会に取り込んで、彼らに統治の修練の場を提供したのが当時のイングランドであった。

それは、ドイツの運命とは対蹠的であった。ドイツでは、ビスマルク（軍部＝土地貴族）と官僚層の下に長らく権力が握られ、「教養市民層」（ブルジョワ）が政治から遠ざけられていた。市民革命（１８４８年、フランクフルト国民議会）に挫折したドイツ・ブルジョワ層は卑屈で自立心に乏しく、その「教養」はもっぱら非政治的で、いびつに自己満足的な「古典教養」であった（このようなドイツ市民層の政治的未熟さこそ、マックス・ヴェーバーが生涯問題にしていたものである。それについては、たとえばモムゼン〔１９９３〕参照）。このような政治的傾向は、ビスマルク以後、のちのナチス登場を準備するものである。未熟で無力なドイツの「議会」では、君主や独裁者の気まぐれな火遊びをコントロールできなかったのである。

モデスト・ミニョンのような市民であれば、その後、婦人解放運動や公民権運動にもすすんで参加できただろう。そして、議会においてもしかるべき役割を演じる用意があったはずだ。

実際、プルーストの出入りしていたサロンでは、ビゼーの音楽と並んで、ドレフュス事件が議論されている。そのサロンの一つの主催者ストロース夫人は、最初の夫にジョルジュ・ビゼーを持ち、その息子ジャック・ビゼーはプルーストのリセの友人であった。１８７５年の初演で散々な悪評をもらった『カルメン』が、その後ビゼー夫人（ストロース夫人）のサロンの批評で巻き返したことが、当然推測されるだろう。その後１８９４年に起きたドレフュス事件では、自身も再婚の夫も上流ユダヤ人であったことから、彼女は有力なドレフュス派となった。

ドレフュス事件とは、19世紀末、次第に高まる反ユダヤ主義を背景に、フランス軍内部に起こったスパイ容疑事件である。ユダヤ人の出自を持つドレフュス大尉が無実のスパイ容疑で逮捕され、エミール・ゾラなどがこの嫌疑の背後にある人種差別主義を告発したことから、国民を二分する議論が巻き起こった。そのさい社交界のサロンは、ドレフュス支持派と反ドレフュス派に分かれて、それぞれ華々しいキャンペーンを張る。

19世紀後半、にわかに反ユダヤ主義の高まりが見られるが、それは従来のユダヤ人差別とは様相が違っていた。従来から高利を禁ずるキリスト教の教義の下で、ユダヤ人に任されていた金融は、国際的ネット・ワークを使う点でもユダヤ人に有利であった。有名なロスチャイルド家なども、それを利用して大きな利益を上げたが、彼らは戦費調達に活躍しただけでなく、戦後処理・賠償金の管理などでも有用であった。

しかし19世紀、ナショナリズムの高揚とともに、国民国家が戦時国債で戦費を調達できるようになるにつれて、ユダヤ金融資本が国王に融資するというシステムは後退する（以上については、アレント［1972］『全体主義の起源』所収の「反ユダヤ主義」の章参照）。日本でも高橋是清が日露戦争の戦費調達のためにユダヤ人銀行家シフの協力を得た話は有名であるが（高橋［2018］『高橋是清自伝』）、このような例は、ユダヤ人が戦費調達に活躍したほぼ最後の例であろう。

こうして金融と実業界からユダヤ人の存在感が低下していくなか、それと時を同じくして「ユダヤ人の世界支配」のような誇大な警戒心が高まるのは逆説的である。そして実業界から文化・芸術・学術の分野へのユダヤ人子弟の転進が始まる。フロイト（1856-1939）、ジンメル（1858-1918）、マーラー（1860-1911）、プルースト（1871-1922）、ツヴァイク

（1881-1942）、カフカ（1883-1924）、ルカーチ（1885-1971）、シャガール（1887-1985）、ヴィトゲンシュタイン（1889-1951）、ベンヤミン（1892-1940）などの文化的世界への進出と彼らの目覚ましい成功は、国境を越えて、とりわけヨーロッパ以外から流入する異質な文化的刺激（浮世絵、アフリカ芸術、ロシア・バレエなど）をいち早く自らのものとして活用する用意があったからであろう。

ヒトラーが美術学校の受験に失敗したころ、美術学校の同世代の俊秀は、たとえばクリムト、エゴン・シーレ、ココシュカなどのウィーン分離派など、文化的に華麗な成功を収めつつあるユダヤ人であった。いずれにせよ、世紀末のユダヤ人の文化領域への目覚ましい進撃が、ますますナショナリズムに自閉する傾向のあった諸国民から不信の念で見られたのである。フランス軍の中枢にまでユダヤ人が入り込んでいることが、強い警戒感を呼んだのも想像に難くない。

プルーストの作品には、社交界を巻き込んだこの政治闘争・文化闘争が描き込まれている。興味深いことは、こうした闘争を勝利的に闘い導くことが、サロンの格や序列を左右したということである。実際、小説の初めの頃では、いかにも二流どころのサロンとして滑稽に描かれていたヴェルデュラン夫人のサロンが、その終わり頃になると、さまざまの進取の芸術家をいち早く支援し推していたことが幸いして、つまりそれらの芸術家の評価が高まるにつれて、ちゃっかり「一流」の仲間入りを果たしていることがわかる。もちろん、ヴェルデュラン夫人はドレフュス派であった。

ちなみに、社交界ではオート・クチュールが覇権争いを繰り広げるが、ココ・シャネルのような例を見れば、それが重要な政治的含意を持つ場合があることがよくわかる。第一次大戦で女性の社会進出が大きく進展したが、職場に進出した女性たちは当然、より活動的なファッションを求めた。ココ・シャネルは、そうしたニーズを受けて、フェミニスム政治文化の先駆けを担った。女性の社会進出をめぐる政治闘争は、このようにして社交界でも闘われた。

こうして、フランスでは、機能不全に陥りがちな議会の代わりに、サロンが政治闘争の舞台になり得た。もともと中世フランスでは、相対的に国王に比べて貴族の力が強く、単独で王権と対抗しようとした貴族たちは、互いに容易に団結しようとはせず、また、市民層からの協力を仰ぐ必要も感じなかった。そのためイギリスに比べて議会が発達しにくかった。結果として、18世紀になると、土地貴族層はもっぱら近代化を阻む極めて反動的な役割に甘んじた。[11]

他方、市民はクラブやサロンに啓蒙主義の拠点を作り出して、大革命を準備した。ひょっとしたら、王権による中央集権制を目指して、土地貴族層と対立していた法官貴族層が、彼らの啓蒙思潮を密かに支援していたのかもしれない（ルソーなどの啓蒙思想家たちにアジールを提供したマルゼルブ――トクヴィルの曽祖父に当たる――など参照。ちなみにマルゼルブ一族は、典型的な法官貴族層に属していた）。革命は、彼らの意に反してはずみで起こってしまった「瓢箪から駒」だったのかもしれない。

十分な政治的経験のないまま権力を手にしたブルジョワジーは、議会をうまく機能させることができない。それゆえにこそ、大革命によって文化的威信を高めたサロンが、それに代わって政治的・文化的リーダシップの一部を担うことができたのである。これを見ても、イソノミア（対等の者たちによる政治秩序）とかイセゴリア（自由で平等な言論活動）のような政治理念が、単なる選挙制度の問題を越えていることがわかる。

それが、少なくとも一時、サルトル、カミュ、マルロー、クローデル、バタイユ、ブルトン、ラカン、コジェーヴなど、フランスの独立知識人（教職につかない文学者や哲学者）が、大きな社会的指導力を持ちえた理由である。

ちなみに、高度技術社会となった現代では、こうしたジェネラリストの社会的基盤がますます狭まっている。そこでなお、社会からの期待に応え得るかのように装わねばならない（相変わらず大学入試に哲学が出題される）ところに、フランス哲学者の苦境がある。素人には容易にわからないような小難しい文体や用語が、一面にちりばめられたテクストが生み出されるのはそのためである。

以上、近代芸術と近代ブルジョワ社会の物象化意識との関係について、社会史的経緯を見てきた。今や、文脈が問題となる言語記号の意味一般の理論について、いささかか補助的議論をしておきたい。というのも、意味という現象に関して、文脈というものを必須の要件と見ない見方も、それなりに幅を利かせているからである。取りあえずその一つ、社会進化論的な考えとの対決を避けることはできない。

第4章 精神分析学の言語観——文脈の科学

文脈をめぐる我々の冒険の前に大きな障害として立ちはだかるのは、進化論の文化理論である。ダーウィンの進化論は生物学を越えて大きな影響を及ぼしてきたが、分子生物学の発展とともに、近年装いも新たに「ネオ・ダーウィニズム」と呼ばれるトレンドを創り出している。ここでは、その全貌を論じることはできないが、文化現象に適用される限りでの一種の社会進化論の言語理解を、精神分析学の言語理論と対比する形で論じておこう。進化論が環境の科学だとすれば、精神分析学はまさに文脈の科学と言えるだろう。

1 進化論とミーム——社会進化論の批判

進化論的理解を生物種の進化にとどまらず、文化現象一般にまで広げようとする社会進化論には、言語や概念的理解をめぐる考察が抜け落ちていることが多い。たとえば、リチャード・

ドーキンスやダニエル・デネットは、生物進化の遺伝子に対応する文明進化の単位として、「ミーム」について語っている。ミームとは、模倣のような形でヒトの脳から脳へと伝達され増殖する一種の情報群やパタンである。どのようなものがミームと見なされ、どのようなものが見なされないか、必ずしも明確ではないが、流行語やファッションなどがミームであろう。宗教的信念とか、反ユダヤ主義のような観念もミームである。ミームは、その表現型を個人の行動を通じて示し、伝導や扇動によって、伝達され増殖する。いずれにせよ、ミームは模倣や感染によって伝搬するのであり、合理性や無矛盾性への規範的関心が役割を演じる余地はない。

ドーキンスは、遺伝子の表現型の中に、その個体のたんぱく質とか行動能力を超えて、他の種を含む非常に広範に広がった環境的表現をも含めている。これを「延長された表現型」と呼ぶ（ドーキンス［2018］『利己的な遺伝子』407頁）。たとえば、カッコウの托卵のような寄生は、寄生生物（カッコウなど）の遺伝子の延長された表現型である。ドーキンスは、ミームをかかる寄生生物（または共生生物）に類比的なものと考えている。

彼〔ユアン・デリウス〕の興味深い他の仕事の一つは、私よりもはるかに徹底的にミームと寄生生物、もっと正確に言えば悪性の寄生生物を一方の端とし、良性の「共生生物」を他方の端とするスペクトルムとミームとのアナロジーを追求したことである。私自身、寄生生物の遺伝子が寄生生物に及ぼす「延長された表現型」効果に関心があるので、彼のアプローチには非常に興味がある。

（ドーキンス［2018］528頁）

これによれば、ミームには、腸内細菌のように「善玉」と「悪玉」があるらしい。ただし、腸内細菌は腸内環境において生息するのに対し、ミームは脳内において増殖する点のみで違いが見られる。

しかしながら、このような寄生生物（共生生物）と、我々の観念や諸概念を同列におくことができるだろうか？　少なくとも意識レヴェル（パーソナル・レヴェル）における有意味な思考に関する限りは、同列に論じることは難しいと思われる。言語的内容は、単に伝達され増殖するだけではなく、合理性とか、全体論的性格とか、規範性などの諸点において非言語的な情報（遺伝子、ホルモン、鳥の鳴き声など）とは著しく違っているからである。たとえば、人間の信念であれば、矛盾や不整合の存在は、それを保持し続けることを阻止するべく規範的に働くが、遺伝子のレヴェルでそれに似た働きを見出すことはできない。遺伝子やその表現型の環境への不適合は、言語的な矛盾とはまったく性格を異にしている。

社会進化論に立てば、勝ち残ったものは、存続理由があるという意味で「価値」があるという議論になりがちである。市場経済では、競争にさらされて収益が挙げられなくなった企業が次々に淘汰されるから、そのイメージに支配された想像力は、文化一般も同じような原理で進化と淘汰を続けるのかと思い込むのかもしれない。

しかしそうであれば、古い言語や文化を学ぶ必要がなくなってしまうのではないだろうか？これでは、古典学をはじめとする人文学の死滅を意味することになる。それゆえ、社会進化論と人文学とは、こと言語と文化の領域では、両立不可能なディシプリンになる。人文学の伝統の意義を説く上で、社会進化論の批判は避けて通れない課題である。

言語の意味が、進化論的な扱いを受け付けないのは、その意味が進化論に適合した機能主義的意味（生き残るのに適合的な否か）とは違うからである。一般に、言語の標準的な意味理論は、その意味を言語の使用から基礎づける。つまり、幼児にせよ外国人にせよ、言語を習得するにあたり肝心なことは、その文の発話が適切な状況（適切使用状況）を習得することであり、それは簡略に言うなら、文がいかなる場合に真となるか、主張可能となるか（文の真理条件、あるいは文の主張可能性条件）を習得することである、と考える。それゆえ、このような意味理論にとって重要なことは、真と偽（あるいは主張可能性）という規範的観念が枢要な役割を演じるということである。以上を大まかに「フレーゲ的アプローチ」と呼んでおこう。

このことは幾分か奇妙なこと、不自然なこととも言えよう。自然的世界には、真偽のような截然とした区別などどこにも存在しないのに、言語的世界はその区別によって成立しているからである。機能的意味ならば、道具は我々の身体の延長に、その能力の拡張形態として位置づけることもできよう。道具の使用ならば、その利便性の程度の違いを論じることもできようが、それは連続的な差異でしかない。言語はそのような道具の一つではないのだ。

この点では、意味を意図（志向性）に基礎づけようとする現象学の理論も、言語の意味を適切に扱うことには失敗している。たとえばハイデガーは、存在の意味の探究を現存在の時間性に求めた。これはざっくり言えば、我々が世界で出会うさまざまな事物（いわゆるZuhandensein）の意味が、その機能に求められ、それを基礎づけるのが時間性（それを未来にいかなる目的の実現を期待されるものとして使用するかという技術的考慮）という機能主義的構造であるということである。

たしかに、現象学が注目した志向性は、その志向的内容が文構造を持つ限り、適中か否か（真か偽か）という二値的構造を持ってはいる。しかし、志向性をハイデガーのように時間性に還元してしまえば、その意味は機能主義的・技術的意味一般と変わらないものになってしまうのである。それでは、言語的意味の独自性を捉えたことにはならない。

フッサールは、意味を一切の心理作用（ノエシスと呼ばれる）や物理作用から還元して考察する「現象学的還元」を提唱したが、デリダが指摘したように、純粋に目指された（ノエマ的）意味を志向するとき、その志向的内容から自然言語を還元することはできない。つまり平たく言えば、何かを意味しようと意図しているその志向性の内容は、自然言語によって表現せざるを得ず、その自然言語で何を言わんと欲しているかを、自然言語を離れて純粋な意図だけで思念することなどできないということである（フッサール［1976］『「幾何学の起源」ジャック・デリダ序説』

参照）。

ここでは、意味理論の詳細について今日では広く共有されている批判や常識を繰り返すことはせず、それを一通り前提したうえで、かかる言語的・概念的構築物においてもたらされる自由の在り方に焦点を当てたい。それは（人）文学の原点に立ち返ることでもある。

2　環境と文脈

ミームに訴えるような進化論的言語観に対して、精神分析学的言語観を対置することが有益であろう。前者は、言語をミームの一つと見て、環境へ適応するための便利な道具と見なすが、後者は、そもそも（言語的）主体を環境不適応から生じるものと見るからである。

進化論的過程を通して、生物（遺伝子の表現型）が獲得する多種多様な「適応能力」は、いずれも固定された一定の文脈においてだけ有益性（適応性）が立証されるものであり、それと異なる文脈（環境）では多くの場合意味を失う。

もちろん、スティーヴン・グールドが「スパンドレウ」と呼んだ特殊な事例が存在するのは事実である。それは、もともとビザンチン教会建築様式において、四隅のアーチと梁の間に空いた三角状の空間のことを意味している。それがたまたま四つであったことから、そこに四福音史家のイコンを飾るのが一つの伝統となったものである（吉川浩満［２０１４］『理不尽な進化』１９７頁）。

グールドは、生物進化においても、たまたま生じた同じ表現型のパタンが、環境の激変によって当初の「目的」とはまったく違った文脈で、まったく違った「目的」に役立つような事例があることを強調する。たとえば、白亜紀においては恐竜の巨大な体を支えるために役立った中空の骨格という特徴は、その後、鳥類においては、空を飛ぶための体重軽減に役立っている。グールドは、生物進化の過程がこのように思いがけない偶然を織り込みつつジグザグに進むことを強調するために、このような事例に訴えている。つまり、グールドとしては、環境適応という一貫した単一の目標を目指すかのように見える進化論的記述に、不満があるのだ。

ドーキンスとグールドの間の論争がいかなる経過をたどったにせよ（この経緯については吉川氏の前掲書に詳しい）、かかるスパンドレウ現象が比較的稀なものだったことは明らかである。だからこそ、わざわざそのような命名がなされているのだ。たとえば、馬は手足の指をひづめに進化させて、草原を走るのに適応したが、それは物をつかむのには向いていない。馬は草原を走るのに特化した適応を身につけたために、指で物をつかむことは放棄したのである。つまり、馬の進化の結果は、草原という環境に特化したものであり、それ以外の環境への適応は難しい。その点で、環境と文脈は同一視できないし、遺伝子とシニフィアンも違う。

木田元は、ユクスキュルを引きながら、「動物はそれぞれの種に固有の環境世界（Umwelt）をもち、……それに適応して生きている……それに対して人間だけは、その時々の環境世界に完全に取り込まれ、縛り付けられることはない。人間は環境世界の中に生きながら、そこからいわば身を引き離し、もっと広い〈世界〉に開かれている。こうしたありかたを、シェーラーは〈世界開在性〉と呼び、……ハイデガーの〈世界内存在〉という概念は、シェーラーのこの概念の影響下に形成された」と述べている（木田［2000］『ハイデガー「存在と時間」の構築』99－101頁）。

環境世界と世界とを分けるものは何か？　ハイデガーによれば、〈時間性〉ということになるだろう。平たく言えば、過去からの教訓に基づき、未来を企画し行動を目的合理的に組み立てる能力である。

かかる見立ては、人間の環境超越性をとらえるにはまったく不十分である。環境適応の結果、高度な予知能力を発揮して狩りをする動物や、さらにそれを見越して捕食者の裏をかく動物も存在するからである。さらには、かなり洗練された道具を使って、朽木にいるシロアリを取るチンパンジーさえいる。これらはすべて、時間性と高度な技術的適応の現れと言うことができるだろう。それは人間特有のものではない（時間性が、死の観念との関連で了解されているということだけが、ひょっとしたら人間独自のことかもしれないが、他の動物が死の観念を持たないのか否かについては断言できないから、この点は何とも言えない）。

知覚心理学者ジェームズ・ギブソンは、認知心理学の立場からユクスキュルに似た立場に接近している。ギブソンによれば、環境はすでに、行動主体に対して特定の行動を引き出そうと促しているかのように、チャンスを差し出して（アフォードして）いる。ギブソンはそのような環境と主体の密接不可分の関係を「アフォーダンス」と呼んだ。たとえば、ボルダリングの選手にとっては、壁面の突起物が、かろうじて指先で体重を保持したり、つま先をひっかけたりするチャンスを提供（アフォード）するものと見えるだろう。道具もそのようなアフォーダンスをより高次化された形で持つ。ハンマーは、柄の部分を握って振り回すような行動へのチャンスを提供しているだろう。重要なことは、アフォーダンス的意味は、おおむね固定された文脈でのみその意味を持つということである。

つまり、遺伝子の表現型（または延長された表現型）が、当初とは違う環境において、まったく違う意味での適応性を発揮することがまれにあるとはいえ、それは決して一般的とは言えないのに対し、言語的シニフィアンにおいては、異なる文脈で使用できることが必須の常態であるということである。

ユクスキュルの環境世界に適応することで、固有の能力とそれを発揮する「自由」を手に入れた他の動物と違って、我々人類は言語を手にすることによって、環境を超越する文脈を獲得し、文脈の自由に開かれた。この点を、ハイデガーもギブソンやベルクソンも十分に捉えたとは言えない。それは、文脈の自由を動物固有の自由の延長、技術の進歩や進化の一環として捉えていたからである。

3 シニフィアンと文脈——フロイト

言語的シニフィアンは、本質的に環境から独立しており、文脈においてのみ意味を表現する。その点で、遺伝子の表現型の適応性が環境にぴったりと張り付いて初めて意味を持つのとは、著しく異なった意味の在り方をしているのだ。要するに、遺伝子はせいぜい道具のアフォーダンス的意味を持つのみである。

それに対して、言語的シニフィアンの方は、本質的に文脈的である。このことをラカンは、「シニフィアンとは、他のシニフィアンに対して主体を表現するもの」と定式化した（ラカン［2000］『精神分析の四基本概念』264頁）。これは、「文脈（他のシニフィアン）を補うことによって、シニフィアン（症状）の意味として主体の無意識の欲望が浮き彫りになる」ということであると解釈できるだろう。初めの「シニフィアン」は症状である。「他のシニフィアン」とは文脈である。つまり、症状は文脈を補ってやると、それが主体（の欲望）を（シニフィエとして）表現していることがわかる、ということ。

たとえば、ヒステリー者は、歩行困難という身体表現（シニフィアン）の中に、（たとえば「人生の新たな一歩を踏み出したくない」というような）主体の何らかの無意識の欲望を提示することがある（片岡一竹［2017］『疾風怒濤精神分析入門』99頁）。それは、主体が進学とか結婚を間近に控えているという文脈を補うことによって、はじめて浮き彫りになるだろう。この文脈に対して、症状は主体の無意識を表現している。

　またフロイトは、アパートの階段をつい一階分余計に上ってしまうという自分自身の失策行為について語っている。それは通常の社会生活という文脈の中では、無意味な失策行為以上の意味を持つようには見えない。しかしここに、常々この主体（フロイト自身）が、他人に対しての批判で「行き過ぎる（verstiegen）」傾向があるという、当人から見ると「はなはだ不当な非難」を人からもらっている、という文脈（他のシニフィアン）を補ってやると、この失策（シニフィアン）は、そうした他人からの「たしなめ」に対する反抗、という意味を帯びていることが浮き彫りになるだろう（フロイト［１９７０］「日常生活の精神病理学」１４２頁）。このような文脈は、通常の日常生活の文脈によって、隠れていたのである。かくて、文脈の交錯が、無意識の源であることがわかる。一方の文脈によって、他方の文脈が隠蔽されていたのである。

　フロイトは、このような無意識の文脈の意味作用が、広く機知やジョークにおいても多用されることを指摘する。

二重の用法というこの技法に基づく機知によって、あるイタリアの貴婦人はナポレオン一世の無作法な言葉に一矢報いたという。彼がある宮廷舞踏会でイタリア人を指して「イタリア人はみんなダンスが下手だ」と言うと、彼女は即座に「すべてではありませんが、確かに大部分は」Non tutti, ma buona parte.

（フロイト［1970］「機知について」255頁）

階段の場合だと「行き過ぎ（verstiegen）」というシニフィアンが、ナポレオンの場合には「ボナパルト（buona parte）」というシニフィアンが、それぞれ二つの異なる意味を帯びているのだ。「ボナパルト」というシニフィアンは、それが置かれる文脈によって、その意味を確定する。一方では、「大部分」という意味であり、他方では侵略者であるナポレオンという意味である。それは、前者の意味を装って、意識の「検閲」をすり抜けるが、その下で、侵略者をコケにしようとするこの貴婦人の無意識の（半ば隠された、半ば顕わにされた）欲望が自己主張しているのである。当のシニフィアンに、文脈という他のシニフィアンを補うことによって、異なる意味（主体の欲望）を表現するのだ。

精神分析の教えによれば、主体が姿をほの見せるのは、このような機知とか失策のような偶発的事件（適応というより適応不全、「純粋持続」や「純粋経験」[12]よりも、そのつまずき）を通じてなのであり、マニュアルに従った効率的な流れ作業や官僚的有能さ（アイヒマン）の中においてではない。もちろん道徳規範を機械的・義務的に、または習慣的に厳守するようなところにも、主体は存立できない。

4　アリストテレスにおける「アクラシア」

このような複数の文脈の交錯は、「アクラシア（意志の弱さ）」をめぐるアリストテレスの古典的アポリア（『ニコマコス倫理学』第7巻）を思い起こさせるものである。その議論を簡略に記せば、次のようになる。健康のためにはタバコをやめた方がよいと思っていて、かつ健康を切に欲している人が、にもかかわらずついたばこを吸ってしまう。この一見すると非合理に見える行動がアクラシアの一例だ。

ドナルド・デイヴィドソンによれば、ここでは二つのそれぞれに合理的な文脈が交錯しているだけだと見れば、アポリアは解消される（デイヴィドソン［1990］「意志の弱さはいかにして可能か？」、29頁～）。一方に、健康を欲求し、かつ禁煙が健康に良いと信じていることから、禁煙するという意図的行動がアプリオリに期待される。しかし他方、タバコを吸えば快楽が得られると信じ、かつその快楽を欲求することからは、タバコに手を伸ばすという意図的行動が同様にアプリオリに期待されよう。それぞれに合理的である、とりあえずの（prima facie）信念・欲求の組み合わせの可能的文脈が、二つずつ存在するのである。

とりあえず意識に上っているのは健康と禁煙の組み合わせの方であるが、実際に行動を決したのはもう一つの信念・欲求の組み合わせ（快楽・喫煙）であるとしたら、ここに明白な不合理は存在していない。ただ、実際になされた意志決定の理由付けが、無意識の下に沈んでしまっただけである。

フロイトにおける無意識が、アリストテレスのアクラシアのような現象として合理的に理解されるべきものであるなら、無意識においても合理性の要求は本質的に前提されており、決して「盲目的な意志」のようなものではないはずである。

このように、無意識の下に進められた推論も、合理的・概念的・言語的であるとすれば、我々の無意識は意識と同様、言語的に構造化されていると見なければならない。ただ、この一つの身体によってなされる行動を、いずれの理由系列が横領して「意志」を貫徹するのかをめぐって、一種の政治闘争が繰り広げられているかのように事が運ぶのである。

もちろん行動に先んじて、自分の内面を省みて、そのときの信念と欲求を表明することもあるかもしれない。その場合、それらの心的態度が存在していると信じ、かつそれぞれの言語表現によってそれぞれの心的態度が意味されると理解して、その態度表明（「私は禁煙が健康に良いと信じ、健康を欲している」……）をすることになるだろう。しかし、これらの心的態度の存在は、その態度表明のための（誤りうるけれども相応な）理由ではあっても、その後の意図的行動の実際の理由であるとは限らないのである。

いずれにせよ、言語的シニフィアンは文脈依存的に意味を変えることがあり、そのような文脈の交差によって、当面意識されているのとは違った無意識の意味作用が存在することが可能となっているのだ。これは、アフォーダンス的意味とは事情がまったく違っている。無意識における意味も言語的構造を持つ以上、その意味は言語一般の意味の理論（大まかに言えば「真理条件的意味理論」）に従うものでなければならないのは言うまでもない。

5 シニフィアンと欲望——ラカン

精神分析は、言語の意味の理論に依拠する限り、当然フレーゲ流の真理条件意味理論を前提すると考えなければならないが、他方で、言語的シニフィアンを、欲望という観点から考察することによって、一般の（フレーゲ流）言語哲学より、言語習得の根源的次元を切り開いているとも言える。なぜなら、フレーゲ流の言語哲学では、文の使用法の習得を、その真理条件の習得として定式化し、そしてそれ自体正しいけれども、それは実際に幼児が初めて言語を習得するための必要条件を規定するだけである。おそらく、ある程度安定的な使用法を獲得した言語なら、真理条件といえるものを持つだろう。それを中心において、比喩や文飾を派生的なものと見て体系的な意味の理論をつくることは可能かもしれない。しかし、そのような見方では、そもそも主体がどうして言語を習得する欲望を喚起されるのかという問題には、まったく触れることがない。

ちなみに、これは言語をミームとして進化論的に説明しようとするすべての議論においても同様だ。初めから、言語が生存上有利な道具であるという先入見に基づけば、それを手に入れようとするのは自明であるとみなされ、さらにその欲望の起源に対する問いを立てる動機が生じないからである。

しかし実際には、いかに後に言語が有益な道具にもなり得たからと言って、はじめからそれを習得する欲望が存在したわけではないし、大人の言語を理解しようとする欲求が初めから本能として幼児に備わっているわけでもない。

したがって、フレーゲ流の言語哲学は、欲望をめぐる精神分析の理論によって、補完される必要があるのだ。それによって、あらためて多義的な文脈（複数の可能的文脈）の重要性が浮き彫りになるだろう。

まず、幼児はなぜ、言語習得への欲望を持つのか？　精神分析学の説明は、おおよそ次のようなものだ。

人間の幼児は、他の動物とは違って極めて未熟な形で産み落とされる（早産化）。そのままでは、感覚――運動能力も統合されていない。幼児は、とりあえずいわゆる〈鏡像段階〉において、外部に存在する鏡像（または母の身体）を統合のよすがとして、自我を形成してゆく。母は、幼児の一挙手一投足に対して鏡像のように対応せざるを得ないので、幼児にとって鏡像としての役割を果たす。たとえば、幼児が泣きわめくごとに母親が飛んでくることのように、母の行動は幼児の行動の写しとなっている（幼児に泣かれれば、有無を言わさず母はそれに対応せざるを得ないので、「専制君主としての幼児」の時期と呼ばれる）。

こうしてようやく主体は感覚——運動系の能力を習得するが、それによってかろうじて獲得された「自我」は、他の動物では本能として進化の結果与えられている環境適応力とは違って、〈想像的なもの〉である。

そのため、その自我は、他の鏡像的他者とライヴァル関係に陥りやすく、また同時に、そのような鏡像的他者の欲望に振り回されたり、飲み込まれたりしやすい（これを分身現象と呼ぶ）。つまり、鏡像的他者との想像的関係は、愛憎アンヴィヴァレントな不安定なものとなるのだ。

それは、「父の御名」における祝福された関係——言語的秩序への参入——に至るまでは解消されない。これがラカン流に再解釈された精神分析のいわゆる「エディプスの理論」である。その詳細はともかく、精神分析の根本には、言語を持つ存在としての人間の宿命的不適合性・反自然性への洞察があるという点が重要である。

我々の欲望は、他の動物のように本能という形で適応合理的に規定されておらず、いわばタガが外れたように暴走しやすいものであり、言語はその暴走を制御するものである以上に、その暴走そのものの一部なのである。

幼児は所与の形では与えられていない欲望を、母親から学んでいかねばならない。それは、たとえばコアラが母親から、食べるべきユーカリの葉の種類を教えられるようなこととは、根本的に違う。コアラは、欲望の対象を示されればそれでよい。それだけで、すでに自分の中に本能が準備していた欲望が目覚めるので、親はそのきっかけを与えるだけで十分なのだ。

だが、人間の幼児の場合、そのような潜在的本能にさえ頼ることができない。だから母親から単に欲望の対象の種類を教えてもらうだけでなく、すっかり全体として欲望を模倣せねばならないのだ。これは、母から授乳されるだけで満たされることなく、授乳が「愛のしるし」という過剰な体系的意味を持たねばならないことを意味している。個々の欲望対象を超えて、欲望一般の意味（愛）という過剰なものを欲望するということである。

このことは、拒食症の例などからよく理解できるだろう。人間は自然な食欲を持つことはできず、それが愛という意味を欠く場合、死の危険を冒しても食事を拒むということが起きるのである。人間においては、欲望そのものが想像的性格をまとい続ける。たとえばストッキングやガーターベルトのように、愛の対象が容易にその代理物に転移するのもそのためである。

このような意味への過剰な欲望があるからこそ、母の個々の欲望対象を模倣するだけでなく、母の欲望そのものの謎を解くことこそが、幼児の最初の欲望となるのだ。この謎が、眼差しのような些細なものをもシニフィアンに化すのであり、言語の意味を解読する欲望へと、主体を駆り立てるのである。

おそらく他の動物においては、己れの欲望がどのような食物によって満たされるか（何がうまいか）が問題となるだけなので、母の欲望そのものに幼児の関心が集中することはないだろう。社会的関係を持つ人間以外の高等動物において、他の個体が何を考え、何を欲しているかを知ることが、いわば戦略的関心に上ることはあるかもしれない（ナンバー・ツーとナンバー・

スリーが協力してナンバー・ワンのボスを倒すような場合)。しかし、それらの関心も、自分の欲望は自明の前提としたうえでの戦略的関心に過ぎず、自己自身の欲望そのもののために他者の欲望が参照されることはない。

しかし人間の場合、ほとんどの欲望は他者の欲望の模倣であり、それ抜きでオリジナルな欲望など存在しない。ところが、その模倣すべき他者との間に、抜き差しならぬ分身的ライヴァル関係が生じるのである。精神分析によれば、それを打開し得るものこそ、「父」の次元であり、言語(象徴界)である。幼児の欲望は、はじめからおしなべて〈愛〉という意味へと差し向けられており、それを通じて「父の御名」の下に与えられる社会秩序(象徴的秩序)へと開かれることになるのだ。

たとえば、排便のコントロールという例で考えてみよう。母の欲望に沿い、その愛をつなぎとめるために、幼児は排便に関する社会規範に従わねばならない。そのため彼らは、無理やり肛門括約筋への強い関心の集中を求められる。このことは、それに応じた快苦というシニフィアンを習得することにつながる。排便を我慢する苦痛と、それから解放される快感の反復から、この苦痛そのものを反復することを快楽の一部として欲望するという倒錯が生じ得る。これが、いずれは禁欲や吝嗇それ自体を欲望するような倒錯的欲望の原因ともなるのだ。

このように、幼児は母の欲望を引き受け、社会秩序を受け入れる形で、その欲望や快苦の象徴的構造を習得する。排便のようなプリミティヴな生理の段階から、すでに掟の支配を受け入れているのである。これはすでに、その適切・不適切の規範的判断の対象となる言語的秩序の一部である。

以上が、ラカンの精神分析におけるエディプスの理論の骨子であるが、ここに見るように、主体の言語秩序への参入が、環境適応といった功利主義的合理性によっては、とうてい説明できないような不自然な飛躍、欲望をめぐる取り戻しのきかない自然からの逸脱を、秘めていることを見逃してはならない。

我々が言語へ参入するのは、それが便利であったり、環境適応力を高めたりするからではなく、寄る辺のない主体が、頼りとすがる母親という鏡像が、完全には程遠く、欲望を持つ存在であり、それゆえ母の存在は本質的に欠如（want）を内部に抱えているものとして、主体に現前するからである。それに駆り立てられるように、主体は母の欲望の謎に取り組まねばならなくなる。

母が欲望を持つこと、とりわけ主体以外の何物かを求める欲望を持つこと――このことは、母の眼差しが、ときとして主体以外に向けられ、主体に対しては白眼をむくこととして表現される――このこと自体が謎であり、欲望の意味（まなざしの意味）への問いを掻き立てるのである。

これが、主体の「愛への問い」「愛という意味への旅立ち」であり、彼の生涯にまとわりつき、繰り返し形を変えてその道程に立ち現れる問いとなるのだ[13]。この旅程が、ドン・ジョヴァンニやカサノヴァのように同じような愚行の反復に終始しようと、あるいはダ・ヴィンチやモーツァルトのように作品という昇華の道をたどろうと、あるいはシュレーバー博士のようにパラノイアの発症に帰着しようと、この点では同様である。

ちなみに以上は、男児の欲望習得の場合であるが、女児における欲望習得は途中からやや異なった過程を進む。女児も母の欲望の謎に取り組むことから言語主体＝欲望主体になること自体は変わりないが、それをファルスの欠如として短絡的に解決しない点で異なっている。フロイトは女児がペニス羨望に取りつかれていると考えた点で、根本的な誤りを犯しているのだ（詳細な議論については拙著［2013］『古代ギリシアの精神』81頁以下参照）。

ここで「意味への問い」と呼ぶものがかかわるのは、目的合理的または道具的な意味ではない。なぜなら、食事が生きるための糧という意味を超えて愛という意味を帯びる必然性はないし、排便が生理現象を超えて、母への贈り物という意味を帯びる必要もないからである。このような過剰を生み出すのは、欲望という欠如なのだ。チンパンジーが巧みに小枝を加工して、朽木の中に巣くうシロアリを吊り上げるのに利用するような、高度な技術的洗練が持つ意味（アフォーダンス的意味）はどれほど先へ進もうと、環境から突出することはない。だが、人間にとっての言語的意味は、このような自然環境の利用とはまるで違った方向への超越を含んでいるのである（それが有用性という観点から「進歩」であるとは限らない）。

第5章 批評——伝統への挑戦と覚醒

さて、今や我々は再び近代芸術に戻って、その特徴をなす批評性の問題に注意を向けることにしよう。近代芸術における審美的判断とは、いかなるものなのであろうか？

1 芸術批評と敵対性

ワインの試飲会とかバラの品評会では、我々の鑑賞能力に精粗はあるものの、我々の鑑賞基準が一新することはない。いいワイン、美しいバラの規準はおおよそ決まっていて、制作者はその基準に合わせて努力する。一般に自然美に関して、その基準が一新されるということはないだろう。

もちろん、そこでもファッションの流行と同じような流行というものは存在する。辛めの味が好まれたり、野生種に関心が集まったりというように、新しいワインや、バラの品種が開発されれば、ワインの歴史や園芸種の歴史に新たな一ページが付け加わるだろう。また、それは我々の感受性にいくらか変更さえもたらすかもしれない。しかしそれは、新しいバラの品種を見て、バラの多様性に気づくような変更にすぎず、我々のこれまでの経験を一新するものではない。

しかし、たとえばルノワールやモディリアニの描く女性像は、それまで我々が知らなかった見方で周囲の女性を見出すという意味で、我々の見方を一新する。ただ新しいタイプの美人を見つけたということではないのだ。

『ボヴァリー夫人』の薬剤師オメー氏を知らなければ、我々はごく普通にどこにでもいる数多のオメー氏に気づくこともできない。だからこそプルーストは、芸術家の仕事を眼医者の仕事に喩えた。それは、ハイデガーの用語を使えばsehenlassen（見えるようにする）ということだ。

芸術作品が達成する新しさの独自性は、ただそれが我々の感受性を変更するという点にのみあるのではない。もしそうなら、さらなる新しい見方が出現したとき、流行遅れ、時代遅れのものとして古びてしまうだろう。

しかし、かつて我々の見方を一新してくれた作品は、新しい感受性が生まれても決して古びることはない。新しい感受性が生まれたとき、この作品はまったく別の新しさをもって見いだされるのである。バッハの音楽は、生前に既に「時代遅れ」になりかけていたのであるが（その証拠に、彼は当時の流行音楽の先頭を走っていたコレルリに就活競争で後れを取っている）、メンデルスゾーンが新たに発見するまで長らく埋もれていた。しかし、メンデルスゾーンが見出したバッハは、現代の我々が再発見、再評価するバッハと同じというわけではないだろう。それゆえ、古典的作品がどの時代にも古びない新しさを持ち続けるからといって、それは同じ魅力を永遠に持ち続けるわけではない。そのような何らかの永遠の美のイデアを分有することによって、「永遠的」であるわけではないのだ。

つまり、古典的作品は、時代ごとに異なる理由によって称賛され、また異なる理由で非難されもするのだが、相変わらず同時代の論争の中心であり続けることで、常に現代的であり続ける。それに対して、二番煎じや流行の模倣によって受けを狙った作品は、その時代の好みには受け入れられやすいものの、たちまちにして古びてしまう運命にある。なぜなら、そこで模倣されているのは単にパタンにすぎないからである。芸術美の判断は、悟性的認識のようなパタン認識ではない（悟性と判断力の違いを際立てたのはカントの功績である）。パタン認識は、そのパタンを反復・再現するために何をなすべきかの認識を含むため、技術化することができる。しかし、美の判断は、結果として成立した作品の美醜を判断できても、なぜ美しいのか、その理由がわからないので、反復・再現することはできないのである。

同時代と対決して、そこから見方を一新した作品には、その時代の評価基準（万人の合意）を超えた生命があり、それこそが、異なる文脈の中に異なった側面を顕わにすることによって、常に新しさを更新する理由ではないか？

この点に注目すれば、作品の価値を時代の感受性の一致した称賛とすることは不可能である。それは、作品が置かれている歴史状況の潜在的・顕在的な敵対的要素を無視するものであろう。作品が、経験の因習的束縛を突破しようとするものであるかぎり、状況を隠蔽する者たちと、暴露しようとする者たちとの間に激しい闘争的対立が存在しているのが普通である。

作品が常にこのような敵対性の中に生まれてくることこそ、近代芸術に特有のことであり、それが近代芸術と不可分の批評性の由来である。

ルカーチは、このような近代芸術特有の歴史哲学的特徴を、叙事詩と対比する形で『小説の理論』の冒頭に宣言している。

星空が、歩みうる、また歩むべき路の地図の役割を果たしてくれ、その道を星の光が照らしてくれるような時代は、幸せである。そうした時代には、すべてが真新しくてしかもなじみ深く、すべてが冒険的であってしかも確実な所有のようである。世界ははるかに遠いが、しかも我が家のようである。なぜなら、心情の内に燃えている火は、星たちと同じ本質的性質を持っているからである。

（ルカーチ［1994］9頁）

それに対して小説は、

小説の形式は、他のいかなる形式にもまして、先験的な故郷喪失の表現……

（前掲書30頁）

ここで自覚されているのは、近代小説が叙事詩と違って共通の羅針盤を持たず、自明な偉大さが欠けたところで格闘せねばならないことである。小説家は小説の主人公たちとともに、突然迷い込んだ異郷で、自分なりのやり方で世界との和解の道を見出さねばならない。近代の小説家は、自己に固執し独創性を追求するが、それは故郷喪失の世界の中で自己の存在を不安定で寄る辺なきものと感じているからである。

近代小説では、作家は敵対的状況で仕事をし、主人公とともに問い続ける。

小説の主人公たちは探究する人間たちである。

（同64頁）

作品はそれ自体、敵対性の中に批評的挑戦として生まれてくるが、その後の各時代の論争状況（文脈）で、次々に違った側面を現すことになる。なぜなら、古典的作品が伝統に対する批判的挑戦として生まれてくるということ自体が、つまりその論争的性格それ自体が、後の時代における異なる論争状況において、当初のイデオロギーを超えて、アクチュアリティを帯びるからである。だからこそ、古典的作品は、時代を超えてそのつど異なった新しさを見せることになり、我々に汲み尽くし得ない魅力を感じさせるのである。

2 人工知能による作品のディープ・ラーニング（深層学習）

今日の人工知能の発達によって、将棋ソフトなどにおいて、従来の固定されたソフトウェアと違って、機械自身が学習機能を備えたものが開発されている。その延長上に、過去の名演奏家の演奏をたくさん学習させて、その特徴をまねて新しい曲を演奏させたとしよう（実際、ヴァーチャル・リアリティによる美空ひばりの演奏とか、国立西洋美術館に所蔵されているモネの《睡蓮》の、一部が破損した作品の修復などがこれにあたる）。

これらの事例で、たとえ専門家でも容易に区別できないほどの水準で模倣ができたとしても、それらは基本的にはパタン認識に過ぎないので、我々の予想を破るものではない。それは本来の作品が持っている挑戦を欠いているのである。もし我々の予想と大きくずれるものであれば、学習技術の欠点とされてしまい、改良の余地があるだけだ。

しかし作品は、それが挑戦であるかぎり、芸術の総体に対する批評と挑戦を含むものでなければならない。それゆえ、本物の芸術家の作品が、かえって彼自身の他の作品に似ていないといったことが、しばしば生じるのである。

たとえば、ベートーヴェンの中期作品を深層学習した人工知能が、その後期作品を生み出すことは有り得ない。なぜなら、しばしば指摘されるように、一般に後期スタイルは、中期の理想の断念の上に出現したかのような、柔軟性の欠けた気難しいところが見られるからである。アドルノは、後期作品の一つ《荘厳ミサ》について考察しながら、次のように記している。

『ミサ・ソレムニス』の美的に破綻をきたしているところ、一般に今なお何かが可能であるかという、ほとんどカント的に厳しい問いのために、明確な造形を断念しているところなどは、見た目に完結した外容のかげに口を開いた裂け目と対応しているのであり、そうした裂け目を、後期の四重奏曲の構成はあらわに見せている点だけが違うのである。しかし、ここではまだ抑制されているといってよい擬古風への傾向を、『ミサ』は、バッハからシェーンベルクに至るほとんどあらゆる大作曲家の晩年様式と分け合っている。市民精神の代表格である彼らは、例外なく、当の市民精神の限界に行き当たりながら、市民生活の枠の中では、自力でそれを乗り越えることができなかったのである。

（アドルノ［1979］『楽興の時』240頁）

つまり、市民社会の申し子として出発した大作曲家たちは、やがてそれぞれの形で、自分では乗り越えがたい限界に突き当たり、擬古典様式に救いを求めることになる、というのだ。

これによれば、作品が破綻なく完成されているなどということは有り得ないことになる。社会そのものが引き裂かれているのに、その自己批評である作品が完成の見せかけを取ることは、まやかしの擬古典主義に過ぎない。だから、人工知能による模倣は、人間による模倣作品の場合と大差ないものであり、それがたとえ人の目や耳を欺くことができたところで、本格的な作品の抱える破綻を模倣することはできないのである。

すると、将棋ソフトの場合であれば、勝利という単一の明確な目標を目指すことによって力強く達成しつつあるディープ・ラーニングが、ここでは何を目指したらよいのかわからない。いずれにせよ挑戦を試みる真正の作品が、それぞれのやり方で破綻を余儀なくされているのであれば、我々はその作品の亀裂そのものが、我々の状況において、いかなる洞察と可能性を示唆してくれるのかを、我々自身の文脈の中に探究する批評的態度が要求されるのである。その場合、古典のパタンを模倣しただけの擬古典主義的な作品は、我々に何の示唆も与えないであろう。

芸術作品の未完成性や破綻が、資本主義社会の劫罰によるのか、それとも人間の原罪によるのか、あるいは象徴界の不可避に孕む欠如によるのかはともかく、芸術の永遠の完成など錯覚に過ぎないものだとすれば、いかなる絶対知も、すべてを見通す批評もあり得ないはずだ。

もちろん人工知能も、今のような単純な（または複雑な）パタン認識の学習にとどまらず、何らかの意味で独創的な創発的な意味の生成にかかわることができるようになるかもしれない。そのさいに、人工知能はどんな学習をする必要があるだろうか？　おそらく、偶然性を利用する必要はあるだろう。ポロックのような手法が導入されるだろう。

しかし、偶然が生み出したものの中に意味を見出して選別することは、どのようになされるのだろう？　それが従来のパタンであれば、何の創造性もない。新しい意味を見出すためには、それを同時代の文脈と結びつけて、そこに出現し得る多くの可能的意味を総攬する必要がある。我々人間の場合なら、経験してきたさまざまの文脈を、偶然によって生み出されたゲシュタルトに補って、そこにかつてない意味が出現しているかどうかを見ることをするだろう。おそらく未来の創発的な人工知能も、それに似たことをするだろう。しかしそこで補われるべき文脈は、「彼」の「経験」が与えたものでなければならない。つまり、将棋の棋譜のように、すでにデジタル処理された記号的テクストであることはできない。

しかし、人工知能が学習するものが、我々の経験と同じような構造を持ち得るだろうか。というのは、我々の経験は、ここと今という点を中心として遠近法的に体系づけられているからである。そして、その行動能力との相関で空間的距離を理解し、寿命や記憶力との相関で時間というものを了解している。人工知能の学習に、このような構造が欠けていれば、その有意味性の判断は、我々のものとまったく違ってしまうので、それは我々にとって有意味な、つまり興味深い創発的意味生成・意味発見をなすことはできない。

人工知能によって我々の知的創造性を探究する研究は、人体模型が人体の研究に資するように、創造的知性のいくつかの重要な特徴を捉えるだろうが、それにとって代わるものではない。それは、人体模型が人体に代わり得ないのと同じである。

もちろん、人工知能が作品の中にある隠れたパタンを発見することはあり得ることだ。しかしそれは、人間が心ならず犯してしまう「失敗」を模倣することはできない。なぜなら、それが人工知能の欠陥によるものか、それとも真の独創性によるものかどうか、区別がつかないからである。

3　ドイツ・ロマン主義の批評概念

いかなる原理で美学的批評は作品を認識するのだろうか？　ベンヤミンの『ドイツ・ロマン主義における芸術批評の概念』は、この点を極めて鋭く描き出している（ベンヤミン［2001］）。ベンヤミンによれば、近代の芸術批評の独自な認識論的構造にいち早く注目したのが、F・シュレーゲルやノヴァーリスといった、初期のドイツ・ロマン主義であった。哲学的美学において先駆的な仕事をしたカントの『判断力批判』ですら、美的判断力をアプリオリな認識能力として、作品の外部に措定しており、作品を巻き込んだ作品内在的な運動として見てはいない。

また相変わらず芸術作品より、美に焦点を当てている。しかし初期ロマン派は、美の普遍的理論より、個別の作品批評を目指した。

初期ロマン派によれば「あらゆる客観認識は、客観の自己認識を前提している」（ベンヤミン［2001］107頁）。

> ある存在が他の存在によって認識されることは、認識されるものの自己認識、認識するものの自己認識、及び認識するものがその認識対象である存在によって認識されることと、同時に起こる。（前掲書112頁）

認識を心理的に、個人の意識と考えては、この文は理解しがたい。これを解くカギは、認識が媒質（Medium）の中で起こるとされていることである。

シュレーゲルは、彼の絶対的なものの媒質的な（Medial）本性を完全に明確にするために、光の比喩を持ち出す。「自我がなす思考は、……すべて思考の内的な光と見なすことができる。」（同69頁）

思考は個人の心理的作用ではなく、言語という媒質の中に起こる反省〔意味の生成〕であり、結晶化である。媒質という言葉は、もともと主体と客体のあいだを媒介〔仲立ち〕する中間的な存在のことであり、眼と物体との間を仲立ちして知覚を成立させるものが光とするなら、主体と対象とを仲立ちして認識を成立させるものが言語ということになる。

とはいえ、ロマン派の理論家の関心が、初めから芸術の理解にあったとすれば、ここで認識者〔よき読者としての批評家〕と芸術作品の仲立ちをするものは何であろうか？

ベンヤミンによれば、芸術である。

初期ロマン主義の考える所では、反省〔思考〕の中心点は芸術であって、自我ではない。（前掲書73頁）

〔シュレーゲルは〕芸術批評を芸術という媒質における反省として扱う。（同85頁）

絶対的なものとは、確かに、芸術という形態をとった体系であった。（同85頁）

ここで、「芸術」または「芸術の体系」と言われているものは、芸術の伝統と言い換えた方がわかりやすい。一般の認識が言語という「体系」に起こるように、作品の理解や批評は、芸術の伝統の中で起こるのである。

芸術に即して言えば、このような考えは、芸術が近代において自明性を喪失したということを背景としている。芸術が明瞭な理念の表現（たとば美のイデアや自然の崇高さの表現）であれば、媒質自体が問われることもないだろう。もちろん表現対象（偉大さや美しさ）も問われる必要がないからである。その場合、美的感動は、一種のパタン認識と区別がつかない。

ところが、これらの自明性が失われると、芸術自体が問題化する。というのは、世界をそのまま映すことにはもはや何の意味もなくなっているから、世界の中にそれ自体で表現するに値するもの、世界の本質を、世界の一部としてではなく全体として（虚構において）浮き彫りにするという課題が生じるのである。

いったん元の意味を失い、瓦礫と化した世界の死せる断片から、世界の本質的真実を浮き彫りにする作品が芸術とされるだろう。ドン・キホーテの世界から神秘（魔法）が失われると同時に、意味を奪われた死相が現れる。そこから意味を救出し再生する試みが芸術作品としての『ドン・キホーテ』だと言えるかもしれない。その前提として、この世界の「ありのままの意味」に対する批判がある。製品や商品に埋め尽くされた世界で、「意味」は我々の生活を引き裂くものにしかならないからである。

かくて作品は、世界への批評的切込み、異化を行う。これを行うのは、本来は世界自体である。世界がその無意味で退屈なものに成り下がり、生活から生き生きとした意味が奪われているからこそ、その虚妄性・虚偽性を告発しようとする衝動も、すでに生活の中に生じているのだ。つまり、社会はそのつど意味を生み、意味を解体することを繰り返しながら、自ら批判的活動を生きているのである。これが対象自体の自己認識である。ここで、思考とか認識というのは、意味の生成と言った方がいいかもしれない。個人の主観的操作というニュアンスが払拭できるからである。

社会の政治闘争自体が、社会の自己認識であり、真理の暴露と隠蔽との闘いである。芸術はそこから出発する。社会自体の自己認識を引き取って、そこから芸術家が異化作用としての作品を造形する。なぜなら、社会はその通常の活動においては、それ自身の意味を表現すると同時に隠蔽もしつつあるからである。そこから断片を拾い上げ、それらを取り集めることによって意味へと際立てなければならない。これが芸術家に課せられた仕事である。したがってこれがまた、意味の生成であり浮き彫りであり、批評である。かくて、①作品は、社会の自己認識であり、②作家の（作品の）自己認識であり、また③作品による、旧来の作品群の批判でもあることになる。

批評は、この運動（批判）を累乗させていくことである。

> みずからの反省を高めてゆくこと（累乗、ロマン化）によって、むしろ、他のもろもろの存在、つまり他のもろもろの反省中枢を、ますます高程度に、自らの自己認識に同化することができるのである。
>
> （前掲書110頁）

ロマン化とはまさに一つの質的な累乗に他ならない。低次の自己は、この演算（操作）により、よりよい自己と同一化される。

（同69頁）

ここで「反省中枢」と言われるのは、すべての事物がなすとされる反省〔意味の生成〕のことであり、人間の反省（認識）は、事物の反省（事物の意味の生成）に基づいていると考えられる。かくて

ロマン主義的ポエジーは、「……いかなる関心にもとらわれず、ポエジー的反省の翼に乗って、表現されたものと表現する者との中間に漂い、この反省を繰り返し累乗して、合わせ鏡の中の無限に並ぶ像のように、この反省を幾重にも重ねてゆく」ことができる。

（同128頁）

ベンヤミンは、「認識とは対象の自己認識を前提としている」（同107頁）と述べているのだが、このように言うのは、とりあえず対象が自己を認識しない状態があることを示唆している。それは、対象の真の本質がはっきりとは現れていないこと、見かけの下に隠されていることが

あり得ることである。

なぜ、対象（現象）が自らを隠すということがあり得るのだろうか？　それは、認識の媒質が言語（またはシニフィアン）だからではないか？　言葉であればこそ、デルポイの神託についてのヘラクレイトスの箴言に言うように、「顕わに語ることも、隠すこともせずに、ただしるしを見せる」のではないだろうか？　つまりあらゆる現象は、人間においては意味を帯びて現れずにはすまず、意味を帯びて現れる以上は、ある側面を際立てると同時に、他の側面はその陰に隠蔽して、顕わなまま隠すようにする。かくて、対象は、自らを言語的に表現するからこそ、言語的に自らを隠蔽もし、光と影とによって縁どられることになる。つまり、そこに作品の無意識が生まれる。

ロマン主義によれば、「反省」によってこの影が光へと語り出される。しかし、文脈について省察してきた我々は、作品に対する批評を、作品の新たな文脈の発見と見なすことができるだろう。

「反省」という言葉に代えて、「文脈」という点から理解することは、「反省」が含意しがちな意識内在性という先入見を除去し、「反省の累乗」という概念が連想させる抽象化・空疎化の印象を払拭してくれるはずだ。なぜなら、実際には「反省」は、ただ意識内部また作品内部でだけなされるものではないからである。それは、作品そのものから出発しつつも、作品にとっては外部にあるテクストや状況を文脈として接続することを含むから、もとのテクストの含意

を具体的な形で増殖させることになるからである。それによって、もとのテクストが持ってい
た秘められた意味が明らかになるだろう。
たとえば、『ハムレット』にソフォクレスの『オイディプス王』を接続することによって、
フロイトはエディプス・コンプレックスという人間存在についての心理的洞察を得たが、我々
は『オデュッセイア』を接続することによって、今度は『ハムレット』劇を、政治的危機に置
かれた者の革命的打開策というまったく違った解釈を得ることができたわけである。我々が、
作品にどのようなテクストを接続するかに応じて、もとの作品は違った相貌を帯びて現れるの
であり、シュレーゲルの言葉を使えば、対象（作品）の自己認識を変えるのである。
批評は作品自体の本来持っていた内在的志向を取り上げて、はっきりと際立てるところに発
するものである。その隠れていた暗黙の志向性を自ら引き受け、言わばその作品を完成へと導
かねばならない。だが、そのために、その真の本質を覆い、不十分にしか自覚されていなかっ
た作品の在り方を批判し、その現状を解体的に乗り越えようとするのだ。
ここに批評の逆説性がある。一方では、作品を活かし、他方では作品を解体的に批判せねば
ならないからである。内在的批判である以上、対象となる作品は自身の志向性をすでに明確に
持ち、それを達成していなくてはならないが、それなら、批評は何もしなくてもよいことにな
るだろう。また他方、それを成就していないのなら、批評はその手がかりを持たないだろう
（前掲書160頁）。これが逆説。

ベンヤミンによれば、その逆説性は学問（科学）の分野には存在しないのに、芸術の分野には存在する（前掲書160頁）。学問は、それが志向していながら、そのことを十分には自覚していない（反省が不十分）ということがないのに、芸術作品は、内在的志向を十分に自覚しているものではないから。つまり芸術には、学問にはあまり存在する必要のない「含蓄」というものが伴うのである。

それは、学問が基本的に読者を待って完結するわけではなく、それ自体において、その諸真理の証明を完結しているのに対し、芸術は読者（享受者）の存在を必要とし、読者を待って、その十全な意味の「自覚」に達することを求めるものだからである。

読者と作品は、互いに相手の中において、初めて自己自身の思考と認識に到達する。それゆえ、作品はそれだけでは未完なのである。批評とは、良き読者として、作品の無意識を自覚へともたらし、それによって作品を完成するものである。

このことは、作品がすでにして、他の作品群からなる芸術的世界へと批評的に出現していることに基づく。『ドン・キホーテ』が騎士物語群への批判的挑戦として打って出たように、作品は闘争場裏に激しい運動を巻き起こし、自らの読者を生み出す。そうして生まれた読者は、批評的に作品を引き受けるのである。かくて批評は、芸術の伝統の中へその作品を位置づけ、その伝統を担うものとしての資格を付与するのだ。

4　伝統・古典・権威

他方、芸術の理念・伝統は、イデア的に完結したものでも、不変のものでもない。新しい作品の参入によって、それ自体を反省し、変容することになる。つまり、作品の挑戦は、芸術の理念と伝統とを変化させるのである。芸術の伝統は、新しい作品の批評的挑戦を受けて、自らの本質を反省し、改めてより深く自らの本質に目覚める。

このような挑戦をせず、ただ古典や流行を模倣するだけのような作品は、かつてはそれ自身が批判的挑戦として登場し、次々の挑戦を受けてきた伝統にとっては、反省に資することのない無に等しいものとして退けられる、というより無視されるのである。

ベンヤミンは、作品評価が批評家の主観的価値観に基づくものではないことを強調しながら、次のように記している。

〔作品の〕評価は、作品のザハリヒな探究及び認識の内に内在している。作品について判断を下すのは、批評者ではなく、芸術それ自体なのであって、それは芸術が批評の媒体となって作品を己の内に受け入れるか、それとも作品を退け、まさにそれによりこの作品を一切の批評に値しないものと見なすかによる。

（ベンヤミン［2001］164頁）

かかる芸術と批評の関係は、作品が批評的に挑戦的になり、世界の見方を一新しつつ登場するようになった近代特有のものである。偉大さや神性の現れが万人にとって自明であり、それを模倣して永遠化することのみが問題であった時代と違って、羅針盤もなく進路を定めねばならない近代においては、芸術と批評とは互いに補いながら、歩を進めるしかないのだ。

とはいえ、もちろん古代の作品が、改めて我々の現代の経験に対して何かしら芸術的挑戦をするものとして、批評的に新たに再登場することがないわけではない。そのとき我々は、現代の因習化された感受性が見落としているものを、古代人の目からあらためて教えられることになるだろう。だがそれは、我々にとって挑戦的なものとなるのであって、もともとそのようなものであったわけではない。それが古典的芸術であるのは、我々にとってそうなのであって、彼らにとってではない。このことをノヴァーリスははっきり自覚していた。

ゲーテに対して最も大胆に、そして最も才気豊かに反駁したのは、ノヴァーリスである。「古典古代の芸術作品が〔所与のものとして〕存在しているなどと信じるなら、それは大変な思い違いをしているのだ……古典文学は我々に所与のものとして与えられているわけではない。……それは我々によってはじめて生み出されるべきものなのだ。古代人たちを、勤勉に、精神豊かに研究することによって、今はじめて、我々にとっての一つの古典文学が成立するのである——古代人自身は持っていなかった古典文学が。」

（前掲書255頁）

このことは、「古典」が「古典」になるのは、批評によってである、ということである。批評は、テクストの中に未だ十分に展開されずに眠っているその作品の内的志向を探り当て、それを全面的に開花させ、その論理的帰結まで先鋭化し、それを覆っていた夾雑物を批判的に引きはがし、解体的に介入する。それは、作品の本来の力を現代の文脈へと解放するためである。かくて、その作品のアクチュアリティを批評によって証明されることによって、作品は芸術作品としての資格を与えられるのである。

しかし、批評の力は、自らを際立てつつ作品の中から立ち現れてくるが、そのさい作品は、単に自分の居場所を「芸術の殿堂」の中に慎ましく確保するのではない。それ自体が、芸術の理念・芸術の伝統を問い直し、その総体に対する批判的挑戦として自らを主張する。つまり、それは既に芸術の伝統つまりは古典的作品の全体に対して、覚醒的に介入するのであって、単に美術館の陳列棚に並ぼうというのではないのだ。このような挑戦的批判的介入によって、伝統自体の覚醒を促し、その理念の変容・先鋭化に貢献するのである。

逆に言うと、このような挑戦によって、古典的作品群は一つの全体へとまとめ上げられる。なぜなら、伝統は挑戦を受けることで一体のものとしてとらえ返され、また批判を受けることで、改めて自らの同一性・統一的理念を自覚させられるからである。彫刻も詩も、近代を待ってはじめて同じ芸術というジャンルにまとめられるのは、そのためである。もちろんこれからは、これに映画や漫画も加えられるだろう。ひょっとしたらファッションも。

重要なことは、批評は独断的で硬直した尺度で作品の価値をはかることでも、主観的な達人的印象や直感で真贋を判定するようなことでもない。個々の作品内在的な論理を作品自体の中から取り出し、作品自体を覚醒させると同時に、それを芸術の伝統的理念への挑戦として、伝統自体にも覚醒を促すという、二重の覚醒であるということである。だから、芸術の鑑賞は理屈ではなく感性や直感の問題だ、などとは言うのは隠居のたわごとだ。むしろ、批評を通して、作品自体の論理を概念的に暴き出すことが求められているということこそ、近代芸術一般の特徴なのだ。それを作品自体の批評性が求めているのである。このような批評の論理を、ベンヤミンは初期のドイツ・ロマン派の美学から読み取り、後の社会批評につなげていった。

我々にとって興味深いのは、作品が潜在させている内的志向性が浮き彫りになるのは、それ本来の文脈（それが誕生した文脈）を離れて、批評家が作品を現代の文脈に置くこと、あるいは同時代の中に、それを置くべき文脈を見出すことによってだという点である。

こうして批評的精神は、時代とジャンルを越境しながら、文脈の自由を発揮しつつ、精神生活全般を自由な活動的流動性として織り上げていくことになる。伝統は、固定的な権威として何か神話的価値の源泉などではない。しばしばそのような自己理解のもとに我々の知覚や理解を縛っている因習は、伝統であるどころか、凡庸化し因習と結託したクリシェにすぎず、それに抗してこそ伝統は闘い取られねばならない。それというのも、伝統の実質をなすさまざまな古典的作品は、いずれもそれぞれが伝統への挑戦と、伝統本来の姿を取り戻す闘争の中に登場し、内部にそのような亀裂や闘争の記憶を残しているものだからである。さながら太古の疫病との闘いの痕跡が我々のＤＮＡの中の冗長部分に残っているようなものである。

このような伝統と批評の近代芸術的関係は、伝統の権威について、新たな洞察をもたらしてくれるだろう。権威という装置は、批判的言説の的になることによって、逆説的に権威を高めるのである。

言説空間が、権威という中心を欠いて批判が四方八方に分散して行われるなら、批判が起こるとしても散発的であり、そのような活動が集積することはあるまい。それは極めて非効率的で、認識効果を生み出すことも難しいだろう。権威は、批判を集中することによって、論点を絞り、認識を効果的に集積する装置なのだ。権威の存在は、ときには嫉妬心を、また時には野心や競争心を掻き立て、権威への批判を活性化する。権威は、己れに集中する批判をかいくぐり耐え抜くことで、また自らが招き寄せる批判に対する反論をも招き寄せることによって、何らの神秘化にも訴えることなく（たとえば、薄ぼんやりとした遠い過去の起源の神話などに頼らずに）、自らを強化し高めることができる。権威の批判が権威を支えるというこの逆説こそ、伝統の起源の単なる古さとか神秘化とは相いれない近代以後における権威の特徴をなすものである。

物事の「はじまり」を据える起源の出来事は、（アレントが古代ローマ人の英智の特徴と見たにもかかわらず）それ自体で権威を持つわけではない。むしろその出来事は、当然あり得た他の可能性を排除することによってはじめを措定したのであるから、そこに存在しながら忘却されてしまっている可能性が存在するのである。それゆえ、何らかの出来事をはじまりの措定と見なすことは、これらの忘却された選択肢を思い起こすことによって、批判的吟味の焦点を据えることなのである。このような論争の起点を与えることによって、それは「権威」という装置を起動するにすぎない。

たとえば、フッサールの「幾何学の起源」への問いとか、法や経営や音楽などにおける「近代合理性」の諸起源へのマックス・ヴェーバーの問い、また「全体主義の諸起原」へのアレントの問いなどは、全てそのようなものであった。

第6章 作品批評という営み——観客という共同体の創出

1 カズオ・イシグロ『わたしを離さないで』

以上述べてきたような批評の実例として、カズオ・イシグロ（1954-）の作品を批評的に取り上げてみよう。それは、この作品が芸術作品の本質への問いをテーマの一つとして内在させているからである。

借り物の自己に対する実存的不安

人は自分の生活、自分の感性が本当に自分のものなのか、いぶかることがあるだろう。自分の考えが誰かからの借り物にすぎず、自分のちょっとした仕草やクセさえ、テレビや映画の真似事であるのに、それを忘れていることがある。たいがいの我々の欲望は他人の欲望の模倣であり、ほとんどの思考の断片やその表現は、他人の言語行為の模倣から始まっているのだから、それも当然なのだ。カズオ・イシグロの『わたしを離さないで』は、そんな誰もが時に感じる不安に焦点を当てている。(10代の主人公たちが集団生活をしている)「コテージ」での生活について、次のように記されている。

……コテージの先輩カップルについて気付いたことがあります。……それは、先輩の行動の多くがテレビからの物真似だったということです。

(イシグロ[2008]185頁)

こうした我々の実存に潜む借りもの性・虚構性をこそ、この作品は主題化しているのである。ここで、それについて意識的・自覚的な生き方と、そうでない生き方とが区別される。そうでない生き方とは、それをやり過ごすのみならず、その借りものに自ら進んで同化し、おのれの権威付けとする生き方(流行に進んで乗り、自ら流行をリードしているかのような身振りで、自他に対して自己の優位性を誇示する生き方)である。ヘールシャムと呼ばれる幼年児収容施設の仲間で言えば、ルースがそのような生き方の典型だが、主人公キャシーとトミーはそれに対して、あくまでも不安の根源を探求する生き方を代表している。

このような不安を際立て、拡大して見せるために、作家は、クローン人間が組織的に生み出されるSF的設定を置く。こうして、オリジナル人間と、オリジナルのためにただ臓器を提供するためにだけ生かされているクローン人間の奴隷制、という何ともおぞましい設定が導入されることになる。

このようなグロテスクで非人間的な設定の持つ芸術技法上の問題は後で論じることにして、この小説は、クローンたちの現実に即しながら、その現実に対して異なる対応をする二種類の人間を、克明に描き分けているのが特徴である。SF的設定の見かけ上のおぞましさ、悲惨さにばかり目を引かれるあまり、この本質的区別を見失ってしまっては、本末転倒である。

キャシーは、集団がトミーに対してする一種のいじめに強い違和を感じる。トミーが、一見取るに足りないことにすぐに逆上することが、集団的に子供たちの嘲笑の的になっている。それに対してトミーがさらに逆上するので、ますます事態を悪化させるのである。

キャシーは、それに同調しない唯一の人間として、トミーの心をつかむ。集団に対する違和感こそが、トミーの異質性の証であり、それを肯定的に受け止めることが、キャシーにのみ可能だったのである。それはキャシー自身にもあったものなので、キャシーはトミーを理解できたのだ。

結局、彼らの違和感は、己れの実存そのものに孕まれた借りもの性の自覚に由来していたことが、のちに示唆されるのだが、いずれにしろキャシーとトミーは、同調主義に対立する個性として惹かれあう。幼年期に強い集団同調圧力が個人を圧迫するようなことはよく見られることであるが、イシグロの作品はそのような幼年期の心理をうまく使いながら、それをグロテスクにまで拡大して見せるために、クローン人間という設定を導入しているのである。

本当は、クローン人間ではない我々自身も、母の言語と欲望を模倣することによってしか主体となり得ない以上、ある意味では借りものでしかないと言える。この点に、この小説の普遍性がある。つまり、「自分たちと違うどこかの世界の哀れな少年たちの話」として片づけることのできない普遍性である。

キャシーとトミーは、己れの実存の基礎に存在する不安の正体をあくまでも追求する点で、「知りたがり屋」と言われている。それに対してルースは、表層に流れる意味を、そのまま受け入れることが自己の利益につながることを知っているので、とりあえずすべてを額面通りに信じる、または信じるふりをする。かくて、「信じたがり屋」と言われるのだ。

この言葉に欺かれてはならない。「信じたがり屋」は、決して信仰の立場ではなく、現世の価値をうのみにして、それと馴れ合う立場なのである。「知りたがり屋」こそ、現世へのなれ合いを拒否して、共同体の外へと出で立つ立場、パスカルが「呻きつつ求める者」と表現した信仰の立場なのである。

魂の存在証明としての作品

実際、「知りたがり屋」が知ろうとしていることは、自分たちクローンが、オリジナルと同様に魂を持つ存在なのかどうか、という点にかかわっている。それは、彼らに作品創造が課せられ、それを管理者が査定するという設定の中に暗黙に含まれているものである。クローン人間でも魂があるかどうかを確かめるために、彼らの管理者は、芸術作品を創らせ、そのうち見どころがあるものだけを、「展示館」に収納しているらしい。魂の存在を立証すると見なされた作品は、選り出されて「展示館」に置かれると信じられているのだが、それが本当かどうか、何のためにそんなことをするのかも初めは伏せられている。そもそも誰がそれを判断する資格があるのだろう?

自分が本当に魂を持つ存在であるかどうか、自分だけでは、それを確証できないということが重要である。これは、デカルトのコギトのようには、自分だけで自分自身の魂を確証することができないという、重要な事実を表している。

キャシーは、自分の中にときおり愛の感情とは無関係に生じる性欲を感じ、それは自分がオリジナルの存在ではなく、コピー(クローン)に過ぎないためかもしれないと考えている、あるいは、自分のオリジナルが、何か特別に性的な存在であるからかもしれないと自問している。

しかしそのようなキャシーの実存的問いかけも、ルースにとってはライヴァルを出し抜くための好機という意味しか持たない。ルースのような人間は、己れの感情にも欲望にも、自閉的に満足し、何の疑問も持たないからである。その実それらは、世間でただそれらしく通用しているだけのものに過ぎないのだ。それに対してキャシーは、〈愛〉のように最も本来自己的な感情すら、決して純粋に自己固有のものでないことを敏感に感じ取り、おのれの探求の出発点に据えているのである。

ルースは、そんな性欲に駆られてキャシーがおこなった二三の行きずりの性交渉を、トミーは許容できないはずだとほのめかすことによって、キャシーとトミーを引き離そうとする。キャシーのような人間が、ルースのように器用に状況に適応する順応主義者たちに決まって出し抜かれるのは、キャシーたちの実存的不安が、彼らを常に過たず適応不全へと導くからである。ルースのような連中は、フランスに留学する息子レアティーズにポローニアスが与えたような俗っぽい教訓を、生まれつき持っているものなのだ。

芸術作品の神的暴力

さて、この小説のSF的設定は、小説の神話的枠組みを固定することにつながっている、と言えるのではないか。主人公たちには、その枠が宿命として前提されており、それと対決するいかなる行動も排除されることになる。作品が全体として、深く瞑想的で静的な印象を与えるのはそのためである。

これは、古典的近代小説において不可欠な行動の契機が、ここには欠けていることを意味する。ここでも、認識の契機がないわけではない。作品全体は、己れの運命を予感しつつもそれに順応していく主人公たちが、「マダム」(と呼ばれるヘールシャムの管理者)から課せられていた作品の意味を問い返す過程からなっている。そして、作品を選び出すことの意味、ならびにそれを展示すると想定された「展示館」の存在とその意味について謎を解いていく、一種のサスペンス仕立てになっているのである。その点で、主人公の認識の進展という近代小説的要素は、ここに備わっていると言えよう。

しかし、古典的近代小説では、その認識は主人公の行動をきっかけとして生じなければならない。つまり、主人公の内面的瞑想や反省だけで、認識がもたらされるのでは十分ではないのだ。主人公の思考の変更が必要になるのは、彼の行動が、彼にとって思いがけない結果を生み出してしまうからである。ここに、観点の複数性が、小説にとって不可欠となる根本要因がある。つまり、行動は一面的な認識から出発するが、それが他者の観点からはまったく違った意味理解を受け、まったく当初とは違った意味を帯びてしまうということ、これこそが、小説の冒険なのである。

この小説が、はじめに設定した神話的枠組みを超えることがないのは、末尾にマダムとエミリ先生（ヘールシャルムの管理者たち）のもとを、トミーとキャシーが訪ね当てたときの会話に示されている。「マダム」たちは、己れの行動の原理の正当性を、最後まで信じ続けている。

私たちの保護下にある間は、あなた方をすばらしい環境で育てること――何ができなくても、それだけはできたつもりですよ。……振り返ってごらんなさい。あなた方はいい人生を送ってきました。

（イシグロ［2008］398頁）

キャシーたちも、「マダム」たちの欺瞞性を思い知らせるような行動には、ついに出られない。それは、キャシーたちが、幼年期のヘールシャムというノスタルジーを、どうしても突破できないからである。「ヘールシャム」とは、ちょうどイギリスにおけるパブリック・スクールのようなものだと言えば、わかりやすいかもしれない。取るに足りないものではあるが、なにがしかの特権性をほのめかすようなものがあれこれ付きまとっているのだ。ほとんどすべてを奪われかけている人間が、それでもこのような根拠の薄弱な、ばかばかしい幻想にしがみついているのである。

私〔キャシー〕がヘールシャムを見つける可能性は、もうないに等しいでしょう。それでいいのだと思います。トミーとルースの記憶と同じです。静かな生活が始まったら、どこのセンターに送られるにせよ、私はヘールシャムもそこに運んでいきましょう。ヘールシャムは私の頭の中に安全にとどまり、誰にも奪われることはありません。（前掲書438頁）

ここでキャシーにとって、トミーとの思い出がヘールシャムへのノスタルジーと溶け込んでしまっていることがわかる。しかし、いかなる偶然による出会いも、そこにおける決断も、決して幼少期へのナルシス的感傷に還元できるものではない。キャシーの思考と決断も、そこから決然と出で立とうとしているはずなのに、あいかわらずヘールシャムの思い出という泥沼に付きまとわれてしまうのだ。

ノスタルジーはいかなる助けにもならない。我々は、ともすれば我々自身を慰撫しようと待機しているノスタルジーなどに、けっして妥協してはならないのだ。彼らの疑問と問いかけは、すでにヘールシャムの欺瞞性を暴きつつあったのに、神話化されたヘールシャムの魔法の霧のような記憶によって、自らを眠り込ませてはならないはずである。

かくて、「マダム」たちとの対話は平穏な平行線のまま終わる。たしかに、相手を実験動物のように扱う者との間に、まともな会話が起こりえないのは明らかかもしれない。以下は、エミリ先生の発言である。

それじゃチェスの駒と同じだと思っているでしょう。たしかに、そういうふうに見えるかもしれません。でも、考えてみて。あなた方は、駒だとしても幸福な駒ですよ。

（同406頁）

……保護することがヘールシャムの運営理念でした。それは、時には物事を隠すことを意味しました。

（同409頁）

トミーは、たとえ真実がどれほどつらいものであっても、真実を知ろうとする。だからこそ、彼らを「保護」するためには真実を隠さねばならないとするエミリ先生を許せない。〔真実を知らせるべきだとした〕ルーシー先生が正しいと思う。エミリ先生じゃない。

（同417頁）

それでも「慈悲」で丸め込もうとする者に対しては、対話のための暴力が不可欠のはずだ。そうして初めて、両者は対等の関係に立てるからである。

実際、オリジナル人間たちは、クローンたちに慈悲をかけながらも、クローンたちを嫌悪し恐れているのである。実際エミリ先生は次のように告白している。

ヘールシャムにいる頃も、ほとんど毎日、あなた方への恐怖心を抑えるのに必死でした。自室の窓からあなた方を見下ろしていて、嫌悪感で体中が震えたことだってあります。

（同411頁）

この恐怖は、彼らがクローンに対して行ってきた組織的暴力の反映なのだ。ちょうど、アパルトヘイト下の黒人を、白人たちが嫌悪し恐れるようなものである。差別する者たちは、常に差別されている者たちの「暴力」を恐れているのだ。

クローンたちの作品は、この「暴力」を体現したものでなければならないはずだ。かくて、オリジナルの存在を根底から脅かすものでなければならないはずである。それによってはじめて、クローンたちは自らの真実を知ることになる。そのとき彼らは、自らのいとしい懐かしい思い出を突き破って、はじめて真の主体になることができただろう。

実際トミーは、マダムやエミリ先生との対談を終えた後、激しい暴力的発作に襲われているが、その怒りは暴発するだけで、決して作品に結晶化することはない。つまり、「魂の存在を証明する表現」に結晶することはなかった。トミーが発すような怒りの暴発は恐れるにたりない。そんなものによってマダムたちの存在はびくともしない。

しかし、クローンたちの魂の存在を証明するために、彼らに作品を創らせるという「マダム」たちの試みこそ、クローンたちを一段と恐るべきものにしたはずなのだ。もし、クローンたちがひとつでもシューベルトの作品のようなものを生み出してしまったら、我々はもはやそのまま生きていくことはできなかっただろう。彼らが魂を持つなら、我々はもはや魂を持っていないのだ。そのとき、臓器移植奴隷制はジェリコの壁のように音を立てて崩れたであろう。これこそベンヤミンが神的な暴力（ベンヤミン［1974］『暴力批判論』参照）と呼ぶものとなり得ただろう。[14] マダムたち管理者が本当に恐れなければならなかったものがあるとしたら、それはまさにこのことだったはずである。

しかしながら、神話的枠組みを突破するこのような神的にして政治的な暴力と、芸術的創造とが、あたかもまったく無関係であると、どうやらカズオ・イシグロは考えているのである。だが、臓器移植奴隷制の支配秩序を脅かし、それを崩壊させるのでないとしたら、作品はどうして魂の表現たりうるだろうか？　作品がそのまま静かに、ちんまりと永遠の美の殿堂としての「展示館」に飾られることだけを求めるとしたら、そんなものがなおも「芸術的価値」を持つのだろうか？

アドルノの「ヴァレリー・プルースト・美術館」（『プリズメン』所収）では、作品相互の敵対性を忘却して、等しく文化財として並列するこのような美術館の展示に対して、ヴァレリーの批判が引用されている。丸山眞男の「盛り合せ音楽会」（丸山［1995］）でもこれに似た批判が見られる。しかしここに、一種の文化保守主義が混入する可能性も否定できない。というのも、美術館のインスタレーションにおいては、ごく普通に学芸員の批評的・政治的観点が示されるものであるし、「盛り合せ音楽会」においてまったく異なる伝統の作品を取り合わせることで、批評的観点を暗示することもないわけではないからである。バッハとメンデルスゾーンの取り合わせがそうである。この取り合わせは、丸山から見ると「同系統」とは思えないかもしれないが、メンデルスゾーン自身にとっては、バッハの音楽は自分自身と同じ伝統にあった。それを明示することによって彼は、同時代とその反ユダヤ主義に対して、批評的態度を取ったのである。また丸山は、「ベートーヴェンの曲から印象派音楽のエフェクトを引き出すことは不可能」(丸山[1995]339頁)と述べているが、私自身は、ピアニストのダン・タイ・ソン氏がベートーヴェンの作品にドビュッシーのような響きを取り込もうとしているのに立ち会ったことがある。その成否はどうであれ、かかる批評的試みを頭から否定することは、文化保守主義というそしりを免れまい。それは鑑賞の文脈を保守的に固定してしまうからである。

主人公たちに真の「主体性」を求め、作品に暴力性を求めるのは、決して作品の外部にある何らかの「理論」や「基準」に基づいて、作品に対して、ないものねだりの要求をしようとするからではない。カズオ・イシグロの作品自体の中に、主人公たちの実存の表現としての作品という芸術の理念がほのめかされているからである。カズオ・イシグロ自身が、掲げた理念を自ら裏切っているのだから、その作品に敬意を表する批評であれば、当然その理念を裏切っている主人公と作家自身の態度を、厳しく断罪せざるを得ないだろう。

カズオ・イシグロとは対照的に、芸術作品の政治性を正面から描いて、現代芸術の批評性・政治性を体現している作品を次に見ておこう。

2 大童澄瞳『映像研には手を出すな!』の現代性

『映像研には手を出すな!』(以下『映像研』)は、芝浜高校を舞台に、三人の個性的な女子高生がアニメーション制作を実行するクラブを立ち上げる物語である(大童[2017])。アニメーションという作品を制作する過程そのものが、このアニメーションの主題である点で、他の近代芸術作品と類似したメタ・テクスト的な批評性をすでにもっていると言えるだろう。[15] しかしこの作品の独自性は、その制作過程が極めて注目すべき政治性を帯びており、その批評性がこの政治性と不可分であるという点にある。

まず、主人公の三人である。独創的な構想力に恵まれているが人間関係を取り結ぶのが苦手な小心者である浅草みどり。勝手な趣味に走る他の連中を束ねて、マネージメントと会計を取り仕切る金森さやか。カリスマ読者モデルとしてすでに有名人でありながら、アニメーターを志すことで親子の葛藤を抱えている富裕層の娘、水崎ツバメ。

彼らは極端に異なった個性と才能を持っているが、いずれも単独では何事も達成できないだろうと思われる。したがって、三人のチームワークが不可欠となる。ここにすでに政治性が存在する。異なった者たちの協力によって、個人の総和を超えた仕事を達成するという政治本来の賭け金が問われているのである。

しかもこの作品の特異な政治性は、いわばコンチェルト・グロッソ形式をとっているのだ。

かかるコンチェルト・グロッソの形式が、アレントの共和主義の悪名高い「エリート主義的」ないしは「貴族主義的」ヴァージョンに対応するものであることは言うまでもない（アレント［1995］『革命について』第六章 参照）。『映像研』の、いずれ劣らず適応不全を抱える三人を「政治的エリート」と呼ぶことには、いささか違和感があるとしても、革命的・政治的エリートが、何らかの運命から適応不全へと追い詰められることによって「選ばれた存在」となることは、水俣病の被害者の場合や『ヨブ記』の主人公の場合を見ても明らかである。彼らはいずれも、業績や功績によって、あるいは能力や資産によって選び出されるのではない。個人的受苦を公共的な活動の原点に転化することによって、はからずも政治的エリートへと押し出されるのだ。[16]『わたしを離さないで』におけるキャシーやトミーの適応不全は、作品に結実することに失敗しているが、『映像研』では適応不全から、見事に彼らの政治を紡ぎ出すことに成功する。コンチェルト・グロッソとの対比で言えば、古典的コンチェルトは人民（大衆）民主主義に対応している。そしてトクヴィルが示したように、独裁に対立するのは民主主義ではなく、「貴族主義」なのだ。

それればかりではない。この作品は、芸術そのものの価値を前提としていない。甲子園やショパン・コンクールでの優勝といった自明な価値を達成しようとして奮闘するスポコンもの（「スポーツ根性もの」として一括される漫画のジャンル）の作品ではないのだ。もちろん、それぞれの人物はそれなりの価値観や理想（こだわり）をもっているが、それは当人にも明確な自覚があるわけではなく、ましてや三人に共有されたものではない。

三人の主人公のうち、浅草みどりがその中では最も雄大な構想力を持ち、作品そのものの場面設定を主導する存在だが、彼女の夢を実現するのがこの作品の眼目ではない。実際の芸術作品を取り巻く状況がそうであるように、浅草みどりの構想は、現実の作品制作のさまざまな制約によって実現困難になる。金森さやかの実務的経済的考慮がなければ、そんなものは夢物語に過ぎない。しかし金森は、目的よりも経過を重視し、ともかくも活動を維持することを優先する。それゆえ、浅草みどりがこだわる作品の細部のクオリティを犠牲にすることも厭わない。これこそが政治的英知だ。活動は、ある意味では自己目的であり、次の活動を生むためにある。しかもそれは、各々既存の勢力のはざまに、それらの権力のニッチを利用してはじめて自己主張できるのである。

たとえば彼らは、「映像研」というクラブを立ち上げようとするが、すでに400を超える部活動が存在する（！）所で、しかも「アニメーション研究会」なるものさえ存在する所に新たにクラブを立ち上げるにあたっては、競合するクラブや生徒会執行部から尋常でない抑圧がかかるのは避けられない。これら諸既得権益と闘う（あるいは妥協する）ミクロな政治の描写がすばらしい。

主人公三人組は、生徒会から、活動実績がなく実質休業状態になっているのに部室を占拠し続けている音響部（実際はたった一人の部員）を退去させる役割を引き受ける（いわば汚れ仕事）。

当然、音響部と映像研とは対立状況になる。しかし金森は、音響部が収蔵している膨大な音響データの利用価値があるというところに目を付け、その優先的利用権と引き換えに、自分たちのバラックのスペースを提供するという取引をする（第17話「お宝奪取作戦！」）。これは話がうますぎるようにも見えるが、そのリアリティは当面問題ではない。むしろ、ミクロな政治のわかりやすい図式のイラストレーションだけが問題なのである。漫画が大胆な省略画法を使用するようなものである。

「映像研」は「アニメーション研究会」とは違った存在理由を示さねばならず、それを生徒会における弁論（大方は金森が引き受ける）と実績（まだ存在していないクラブの活動実績）で証明しなければならない。まだ存在が許されていない組織の実績を示せというのは論理的には無理な話だが、実際の政治活動は常にこのような論理的無理を押して遂行されねばならないものなのである。

彼らは、ごく短期間で映像研のデモテープを完成して生徒会に示さねばならない。このときの金森の方針がまたすばらしい。その作品デモテープは、実際の作品の本質を描いたものである必要はない、ただ来たるべき作品のクオリティを予感させ、期待させるものでありさえすれば十分なのだ。そこで彼らは、まだ、プロットも主題も決まっていないのに、とりあえず戦闘シーンを描き、インパクトのある映像に仕上げる。かくして、かろうじて仮免許のような形で活動が始動する。

学校外での取引で金銭収入を狙う彼らに、教育活動という建前に基づいて禁止しようとする教師たちとの間にも危機は訪れるが、そこでは地方テレビ局に情報を流してあらかじめ評判をとるなどして、学校を出し抜くのである。マスコミが評価してしまったら、教員が否定することは難しいからである。ここでも、マスコミが作品の真の理解をしている必要などない。ただ、彼らの軽薄な好奇心に訴えて、何らかの評判をとりさえすれば、その活動を持続することができるのである。

特徴的なのは、教員も生徒会もマスコミも、その建前の主張とは違ったそれぞれの利害や組織的原理を持っていることを、自明のものとして描いている点だろう。それらの建前や理念など、現実には誰も信じていないし、作者も作中人物もまた読者も信じていないのである。

こうして活動するうちに、ついにプロットや主題が浮かび上がる。それこそがこの作品の真の価値を世に啓示するためのものであり、そのためにこそこの作品を制作しなければならなかったはずのもの。その中心テーマが、いよいよ土壇場になって、まるでアリバイ工作のように、しかも単なる僥倖（ぎょうこう）のように見つけられる。さまざまのアニメ作品の歴史を咀嚼（そしゃく）し尽くし、映像の細部にこだわり尽くして創り上げる作品の肝心の本質が、最後の最後になって単なる偶然によって見つけられるさまを我々は目撃する。そのとき、海の一族（河童たち）と陸の一族（人間）との対立と和解という一種エコロジカルな壮大なテーマが現れるのだが、そんなものは、ただ仕事を首尾よくまとめるためだけに、でっち上げられた仮初（かりそめ）の理念のように見えるのである。

しかし、それが説得力を持たないというわけではない。というのは、出来上がった作品は、イデオロギー言語によってではなく、アニメーションの確かな職人的技術によって、細部にこだわった水の描写を通じて、海と陸の相互浸透が、現実と幻想の相互浸透として結びつけられているからであり、その技術的細部が、それが単なるイデオロギーに過ぎないということを忘れさせてくれるからである。細部と細部が、たまたまの偶然によってきっちりとはまるべきところにはまり、予定されていたかのようにその位置を占めるのを、作者たち自身が驚嘆しつつ見守る。それは、あらかじめ明確な価値理念に導かれた、目的意識的な進行なんかではない。さながら予定されていたかのように、期せずして次々に実現されていく調和なのだ。[17]

かくて我々は、イデオロギー的理念が、諸力のせめぎあいの中に自己の存在を主張する政治的自己主張の仮面に過ぎないということを知ると同時に、そのようなイデオロギー闘争のただ中に、芸術創造の場があることを認識することになる。今や、芸術作品はいかなる中立的価値も主張し得ない。それは自己を主張する政治闘争そのものの姿として以外、何の実在性も持たないのだ。

理念は付け替えの効く仮面に過ぎないというのは、言い過ぎだろうか? 問題は、この仮面を拾い上げる力であり、その力が諸力のはざまで諸力の抗争を資源として自らを立ち上げ、サヴァイヴァルの闘争を生き抜くことである。浅草みどりと水崎ツバメは、いかにもオタクらしく些末な材料をもとにして、妄想じみたイメージからイメージへと空想をふくらませるが、それだけでは作品に結晶することはない。しかし時間と資金の急迫に迫られて、偶然がそれらの断片を強引に結びつけると、何やらプロットらしいものが現れ、そこにはもっともらしい理念さえ付随してきて、すべてを遡及的に意味づけてくれるのだ。

この点で際立つのが、金森さやかというキャラクターである。彼らの「夢」を実効的たらしめる金森の政治・経済的リアリズムが、コアのアニメファンたちを熱狂させているのは明らかだ。それこそ現実の彼らには不足しているものだからである。これによって、ただの夢見るオタクが、現実の世界に生きる場を見出す。重要なのは、歴史に残る作品を創ることではなく、とりあえず居場所を確保して生き残ることなのだ。それがジャングルの掟が支配する教室の片隅であれ、新人研修のタスク・フォースであれ、はたまたシャッター商店街の「町おこし」プロジェクトであれ。それは、かつて浅草みどりが熱中したという「秘密基地」の設計のようなものであり、いかにして自分たちの政治権力を創造するのかをめぐるケース・スタディなのである。

もちろん理念が全てまやかしであるというようなことはない。理念は活動を活性化し、それをまとめ上げ、さらなる資源と資金をもたらしてくれる限りで、つまり力の糾合に資する限り生きた価値であり得る。しかし衰亡する力に手を貸し、立ち上がる力を抑圧する反動に化するや（おおよそ教師や生徒会の語る理念はそのようなものとして描かれるが）、亡霊として振り捨てるべきものとなるのだ。
とはいえ、亡霊があらゆる意味で無に帰することはない。亡霊もテクストの中で再度登場のときを、世紀を越えて待ち続ける。新渡戸稲造、内村鑑三、大西巨人らの「武士道」のように、その本来の社会的文脈を失っても、新たな文脈において復活する可能性は存在するのだ。すべての亡霊が、一度によみがえる「大いなる正午」、復活の日・メシアが到来する終末のときが来るわけではない。しかし、歴史のアーカイヴの中からブリコラージュのように記憶を寄せ集めて、その都度の政治闘争の手立てとすること、そのための文脈を発見することは、常に批評的芸術活動の前に、文脈の自由として開かれている。これは、言語を持つ我々人間の本質なのだ。

それにしても、それらの政治闘争や歴史を貫いて不変の人権的価値理念とか正義の普遍的理論のようなものはないのか？　歴史を通覧して照らす未来への照準とか、歴史の究極の目標（テロス）のようなものはないのか？　かかるヴィジョンへの欲望は、十分理解できるものではある。それらなしには、政治はそのつどの利益争奪に過ぎない、という身もふたもない相対主義になってしまうのではないのか？

だがそれも、これらの理念や理論に、問題解決へのマスターキーを求める点で、重大な思い違いをしているのだ。除去し得ない不公正など存在しないとしても、あらゆる不公正を一挙に解決する正義の一般理論が可能だということにはならない。同様に、解決不可能な問題が存在するとは言えないにしても、あらゆる非合理性をあらかじめ免れた合理性の一般理論が可能だ、ということにもならないのである。個々の問題は個々の場面で解かれる他はない。そして、ひとつの問題が解決できたとしても、再びそこから別の問題が立ち上がり、ついに果てる時はない。エデンの楽園から出て、いったん言語という荒野に降り立ったからには、次々に立ち上がる問題には、そのつど新たに立ち向かうほかないのだ。

　問題の解決が、たしかに一つの解決になっていることを判定する判断力は、我々に備わっており、その判断はおおむね一致する。それは、芸術作品の見事な達成を、芸術的技量に乏しい我々でも十分理解できるようなもの。だからと言って、なぜそれが美しいのか、常に説明できるわけではないし、ましてそれを自由に生み出せるようになるわけでもない。せいぜいパタンに従ってその模造品を生み出せるだけだ。美的判断はパタン認識（悟性認識）ではなく、したがって技術化できない。あらゆる問題解決が、パタン認識やパタンの適用（技術）であるわけではないのだ。「公式の適用」を問題解決のモデルと考えるようなことは、問題というものの存在性格を根本的に見誤るものである。

　アレントが洞察したように、政治も判断力の問題であって悟性の問題でないとすれば（アレント［1987］『カント政治哲学の講義』参照）、あらかじめ政治の未来を予想したり、製造したりできる普遍理論などあろうはずがない。そうであれば、不確実な未来の暗闇をぼんやりとでも照らす光は、廃墟となって転がっている過去の瓦礫のアーカイヴに求めるしかあるまい。

人権のような憲法的価値理念さえも、新しい文脈に適用されることによって、新たにその含意を変えていく（たとえば「セクハラ」「日照権」など）。それらは、永遠不変の理念（イデア）ではなく、深化し更新される生きた伝統なのだ。伝統を引き継ぐ者には、それを自分の文脈に引用する際の解釈がなければならず、その理由を説明する責任が課せられるが、それは伝統が一貫して連続するものであることを意味しない。むしろ伝統を引き受けることは、しばしば伝統を僭称する者たちに抗してそれを奪取し、取り上げ直す批判的営為そのものであり、時間の裂け目を不確実な決断によって飛び越える創造的飛躍を含んでいる。歴史は、銀行預金や学歴のように、抜け目なく手堅く積み重ねられることによって、未来を約束するものではないからである。

しかし、時代の峰々はあたりにたたなわり
愛する者たちは、身近に棲みながら
離ればなれの峰の上に疲れ切っている
されば我らに、清らかな流れを与えよ、
ああ、翼を与えよ
誠の心もて、彼方にゆき
此方に戻ってくることができるよう

（ヘルダーリン［1966］「パトモス」）

『映像研には手を出すな！』という作品に描かれた現代芸術が含意する政治性は、火炎瓶の代わりに花束を投じるバンクシーの絵のようにわかりやすいメッセージをもってはいないし、「従軍慰安婦」の犠牲者の像を建てたり、ジャクソン大統領やレーニンの像を引き倒したりするような明確な政治的表現でもない。しかし、それはアニメーターを志す人々や同世代人に対して、有り得べき自己イメージを提示することで、はるかに「危険な」政治性を秘めている。それは、指導したり動員したりせず、考えることをそそのかすものだからであり、自由を啓蒙せず、ただ自由へと誘惑するものだからである。

この作品に限らず、映画や音楽などにおいて、過去の作品へのオマージュや引用やパロディが多用される。たとえば、この作品では、廃屋の風車が描かれているが、この風車の形は宮崎アニメの『風の谷のナウシカ』に描かれたものであり、羽に傾斜角がないことから、構造上回らないことが知られているものである。これは批判として描かれているのではなく、古典的作品への敬意を表現するものだろう。コアなファンは、ここにさりげなく示されている過去作品とのつながりを見出して、それが自分にのみ提示された謎であり、それを解くに十分な注意力を作品が要求していることを感じて満足するだろう。作品を見た人々の間で繰り広げられる活発な会話の材料を提供することも、重要な営業戦略なのだ。

だが、そこにほのかに成立する観客の共同体意識は、決して芸術にとって無縁のものではない。とりわけ近代芸術においては、観客の批評的意識を喚起し、公共的批評の場を形成することが重要だった。そのことに比べれば、そこで何が支配的な意見となるか（ヴァーグナーかブラームスか）は末梢的なことにすぎない。巻き起こる論争は、些末なものであることもあるが、それを通じて観客は歴史の中に自らを意識することになる。古典的作品とのかかる歴史的つながりこそが、その作品を古典的作品に列させるかどうかの登龍試験の受験資格となるのである。古典は確立された権威ではないのだ。新しい作品の批評性が、一見古典の存在と無縁ないし敵対的に見えながら、むしろ古典を古典として打ち立てるというノヴァーリスの指摘していた逆説が成り立つのもそのためである。

ピカソを魅了したアフリカ彫刻であれ、ガーシュインの中に取り入れられたジャズであれ、「生の表現」という観点から見れば、それぞれが立派な文化であり、どのような民族的伝統もそれぞれ並列する多様な文化を代表していて、それらに優劣をつけることなどできないかのように見える（多文化主義）。しかし、ハンガリーの古い民族音楽も、ユダヤ民謡や童謡の音素材も、バルトークやマーラーの音楽の中で引用されない限りは、芸術史の中に入り込むことはない。それらを芸術たらしめるのは、文化的優劣の問題ではなく、批評的意識の問題なのである。それが、歴史意識を形成し、芸術史の伝統を作り上げるのだ。

批評性こそが、古典を成立させ、芸術をその都度再定義し、かくて芸術というジャンルに繰り返し新たな統一を与える。批評性は近代芸術が打ち立てた芸術観であるが、それによって「芸術」という統一的ジャンルが初めて出現したという意味では、唯一の芸術観なのである。

だがそれは、芸術の永遠不変の理念が存在するということではない。したがって、文化財（骨董品）という「永遠の」芸術作品の前では、ただ黙って達人的直観と感性に耳を澄ますだけだなどというのは、近代芸術の本質と芸術の本質に対する無知をさらすものでしかない。

全体性の表現としての芸術という近代芸術の理念が見果てぬ夢に終わったとしても、批評としての芸術という理念は、なお自由を求める活動として政治の一翼を担う形で、現代に受け継がれているのである。

エピローグ――ディオゲネス

アテナイ連合軍を撃破したアレクサンダー大王は、悠々とアテナイを占領した。そこで、大王は有名な哲学者がいると聞いて、ディオゲネスのもとにやって来る。ディオゲネスは、例のごとく樽の中に住みながら日向ぼっこをしていたとされている。

大王は彼に、何か欲しいものはないか？　と訊いて、鷹揚なところを見せようとした。アテナイを占領できても、その精神までは征服できていないと感じていたからである。

一方、ディオゲネスにとって、その大王の問いに答えるのは難しかった。大王に向かって何か欲しいものをねだるなど、もっての外であっただろう。それによって身も心も大王に屈することになるからだ。

かと言って、征服者に対して反抗することが困難であるということはさておくとしても、「何も欲しくない」といった類の答えは、すでに大王の質問の文脈に規定されており、「強がり」にすぎないもの、という意味を帯びてしまうだろう。本当は、たとえばアテナイ人であればだれでもアテナイの独立を望んでいるのに、そのことを口に出して言うことなどできない。そうであれば、「何も欲しいものはない」という答えは、そのことを口に出せない臆病者、という意味を帯びてしまうだろう。

大王の質問は、たとえ無邪気なものに見えたとしても、権力を手にした者が、会話の文脈を まず支配し得るということを心得た、いかにも王者然としたものであった。それをそのまま理解したとしたら、それに抵抗することは難しい。それが文脈を支配するということである。

そこで、ディオゲネスは、「そこをどいてほしい、日陰になっているから」とだけ答えた。ひょっとしたら、この答えの中に、マケドニアの軍隊のアテナイからの退去の要求を忍び込ませようとしたのだろうか？

ディオゲネスは、そんな要求が決して大王から受け入れられないことは知っていた。それは軍人の仕事であり、すでにその決着は戦場でついていたはずである。だからこそ大王は、鷹揚な態度を見せつけることができたのだ。

ディオゲネスは、そのことを十分に意識していたであろう。そのうえで、王の質問の意味を自分なりの文脈で理解するふりをして見せることによって、自由な精神を示したのである。これは、一応は相手の発言を文字通りに受け取ったうえで、その意味と狙いを覆してみせるという点で、ソクラテスの場合と同様、アイロニカルなものであった。大王の真意を知らないふり（すっとぼけ＝エイロネイア）をすることで、文脈の付け替えを行ったのである。

もし「そこをどいてくれ」という要求が、アテナイからのマケドニア軍の撤去を比喩的に意味していたのだとしたら、大王の方が、それを黙認することはできない。それこそ大それた反逆心を示すものだったからである。大王の立場としては、それを見逃すことはできないはず。ところが大王は、その真意に気づかぬふりをした。それをすっとぼけて別の文脈で（文字通りの意味で）理解したふりをすることによって、ディオゲネスの命を救ってやったことになる。いずれにせよ、このときディオゲネスは、もちろん周りを取り囲む大勢の人々の注視を、意識していただろう。公衆の面前で、文脈を取り換える戦略が発揮する政治的意味は、彼にとっては明白だった。そこに、軍事的に追い詰められたアテナイの自由の、最後の残光が賭けられていたからである。おそらく大王はそれに気づいていた。ディオゲネスの立場を理解し、その誇りを理解し、大王の前で示された精一杯の彼の気概を愛でたのである。

哲学者が属していたポリスの自由は、速やかに歴史の黄昏に沈みつつあった。大王は、マケドニアの騎馬軍団とその機敏な戦略とによって自らが切り開いた新しい時代が、ポリスの市民団による重装歩兵団の時代を、はるか遠くに押し流しつつあることを知っていた。それでも、イリアスの愛読者であった彼は、その過ぎ去りゆく自由ポリスの残光を惜しんだのである。はたせるかな、やがてアテナイが滅び、アレクサンドロスの大帝国も夢の彼方に消え去っても、かの出来事は、そのときそれを注視していたマケドニアの将兵たちや多くのアテナイ市民の伝承を通じて、アネクドートとして後世まで語り継がれ、我々にまで及んでいる。文脈の教養が自由の条件であることをたしかに示しながら。

あとがき

文学部に対する風当たりは、以前にもまして強い。当の学部自体が自信喪失して、もはやあきらめムードにあり、さまざまに姑息な小手先の「改革」によって、この逆風を乗り切ろうとしているかのようである。たとえば、軽薄な品ぞろえによって「社会のニーズ」に備えるとか、学部・学科の看板を今様に書き換えるとか、語学教育を外部発注するとか……。

本書は、そんな世の流れに真っ向から反抗して、臆面もなく旧き良き人文学の意義を唱えようとしている。今日、文学部が社会の要請に十分に応え得ていないとしたら、それは社会の要請に妥協し、安易にそれに応えようとしているからに他ならない。文学部は、より深く反時代的に、その伝統と本分に立ち返ることによってのみ、その使命を果たすことができるのである。

今どきシェイクスピアを大学で教えて何の意味があるのかといった野蛮な声に対して、私は幾分か答えようとしたつもりである。フロイトがシェイクスピアの読解によってその精神分析学を打ち立てたように、我々もシェイクスピアから、今なお別の形で学ぶべきものがあることを示すことによってである。

本書を通覧いただければ、私の美学的・芸術批評的試みが、一貫してアクテュアルな政治闘争へと方向づけられていることがわかるはずだ。それがパンとサーカスに狂奔する大勢に順応せず、そこから靴の塵を払い落として立ち退こうとしていることを、隠す必要はあるまい。それがたとえ無謀に見えようと、ドン・キホーテの先例もあろう。ときにはドン・キホーテに倣って、ときにはサンチョ・パンサに倣って、また場合によってはハムレットに倣って、孤塁を守る栄誉にあやかりたいものである。

本書の成立に当たっては、気質も立場も対極的でありながらも、常に理解と共感をもって（あるいは不安と憂慮をもって）私の試みを見守ってくださった畏友、猪木武徳氏に深く感謝申し上げる。氏のご支援なかりせば、本書の原稿はいつものように筐底深く眠り続けたことであろう。

今はただそれが、復活と再生を通して悠久の試練を耐え抜くという、人文学の本義に適うものとなっていることを願うばかりである。

2021年冬

著者

注

（1）執拗低音とは、バロック以前の音楽において、通奏低音部において繰り返されるテーマを言う。四小節とか八小節とかのテーマが低音部で繰り返されるところを、上声部ではそのヴァリエーションが乗せられていく。シャコンヌとかパッサカリアと言われる古い音楽では、このように執拗低音の上に次々に変奏が乗せられていくが、いずれの変奏においても、それを規定している和声進行が執拗低音によって一定であるため、堅固な建築学的ブロック構造をなすものとして聴取される。カノンやフーガもその発展形と見ることができる。古典派以後の音楽では、この和声進行のブロック構造が崩れていくので、テーマは枠から解放されて自由に動き出す印象が付きまとうことになる。すると、今やそのテーマがどのような運命をたどるかという通時的ドラマを聴き取ることが、聴取の中心となるのである。それとともに、テーマは和声進行を示すだけの単純なものから、より個性的なものへと一変するのは言うまでもない。

（2）ソフォクレスの主人公オイディプスやアンチゴネーは、強烈な意志と個性をもって運命に立ち向かう点で、近代小説の主人公に似ていると言えるだろうか？　そうではあるまい。多少議論が必要であろうが、彼らは近代小説の主人公のように個人としての人生の問いに立ち向かうのではなく、ポリスの掟をめぐって論争的に立ち現れるのである。それはあくまでもポリスの絶対的価値を前提としていた。たとえば、アンチゴネーはポリスの掟を体現するクレオンの命令に反してテーベの反逆者として倒れた兄ポリュケイネスを葬った。それによって、ポリスを超えた価値理念（例えば神々の掟）を対置したのではなく、ポリスの正義をめぐって、現在至上主義のクレオンに対して過去（死者たち）を招聘しているのである。しからば、現在の政治闘争は、一応の決着を見たとしても、そしてクレオンの統治がその限りで正統性を獲得したとしても、その権威は決して死者たちにまで及ぶわけではない。なぜならポリスは生きた市民だけのものではなく、死者たち・先祖たちの祖国でもあるからである。したがって、政治的権威が歴史を改ざんしたり隠蔽したりすること、死者を正当に扱わず、ただ己れの権威付けに利用することは許されない。アンチゴネーが体現するこの理念は、決して彼女の個人的感情とかかたくなさではなく、おそらくは奢り高ぶる同時代の民主的アテナイでは久しく忘却されてしまっていた古い声なのではなかろうか？　それはたとえば、司馬遷と漢の武帝のあいだに密かに闘われた闘争にも響いていたものである。『史記』「斉太公世家第二」によれば、荘公に使える大臣崔杼（さいじょ）は、愚行を重ねる荘公を殺し、その異母弟の王子を王位にすえた。時の歴史家（太史）は、「崔杼荘公を弑す」と記録した。崔杼がその太史を殺すと、その弟がまた同様に記録した。崔杼はそれをも殺したが、その末弟がまた同じ様に記録したのを見て、崔杼はそれを放置したと『史記』には記されている。

（3）　ソーニャとリザヴェータの分身性については、江川卓［1986］『謎とき「罪と罰」』186頁、山城むつみ［2016］『ドストエフスキー』147頁以下など参照。

（4）　従来から、この説明のつかないジュリアンの行動について、スタンダールを批判する評論が絶えない（E・ファゲ、レオン・ブルム・M・バルデーシュなどの諸説。松原雅典『スタンダールの小説世界』130頁以下参照）。そんなわけでこの行動をジュリアンのモデルとなったアントワーヌ・ベルテの実際の事件から説明するという安易な方法に訴える向きもあるわけだ（ティボーデなど。前掲書132頁参照）。しかし、このジュリアンの行動こそ、この作品にとっての画竜点睛であることの認識を欠いては、この作品の本質理解はおぼつかない。

（5）　このことはまた、テクストが偶然見つけられたベンヘーリなるアラビア人の手によるアラビア語のテクストからの不完全な翻訳と装うところにも示されている。それゆえ、肝心の山場で、無慈悲にもテクストが中断されるようなことが起こる（『前篇』第8章の末尾）。このような語りの重層化・複雑化は、テクストが多数の観点を取り込むことを可能にする装置となっているのだ。

（6）　「異化効果」とは、後の時代にロシア・アヴァンギャルドが強調した手法であり、ブレヒトの演劇に取り入れられて有名になった観念である。いわゆる写実的作品が、夢に引き込まれるように自然に作品世界へと読者をいざなうのに対して、ブレヒトは我々の慣習的知覚がイデオロギー的に汚染されたものであり、その幻想を払拭するためにわざと違和感のある表現を作品の中に取り入れて覚醒を促すべきであるとした。ちょうど、カフカの『変身』で主人公がとつぜん甲虫に変身するようなもの。普段の生活でも、家族がその一員を、扱いにくく世間的に体裁が悪いもの、家族全体のお荷物であるようなものとして意識しているというようなことがあろう（障害、失業、独身、不適応など原因はさまざま）。しかしこのような感情は、通常は家族愛の欺瞞的イデオロギーの下に抑圧されている。そこで、突然家族の一員が甲虫に変身するという異様なプロットによって、抑圧されている感情を浮き彫りにするのである。これが現代芸術において多用される異化作用の一例である。

（7）ドストエフスキーは『悪霊』［1934］の「スタヴローギンの告白」の章で、ドレスデンにあるクロード・ロランの『アキスとガラテア』に、「黄金時代」を描いたものとして言及している。

（8）このことは、同じゲーテの晩年の作品『ファウスト第二部』においてもうかがうことができる。ファウストが〔悪魔〕メフィストの手を借りて（というのも不気味だが）実現しようとした干拓事業のユトピアが、フィレモンとバウキス老夫婦の痛ましい犠牲によってすでに汚れているということである。

（9）そもそも弁証法は、すでにアリストテレスの弁証法についてみたように、概念の意味論的探究と不可分のものであり、その点で、物の性質の一部と考えられる物理法則や、社会的・経済的法則などの一部ではない。まして「歴史法則」でもない。それは、存在や経過について直接述べるものではなく、存在について述べる概念について述べるものなのだ。この点では、ヘーゲルの弁証法も同様である。それが国家や宗教について、またはさまざまの意識形態について述べるように見えるときも、そこで論じられているのは、それらについて語る、あるいはそれらを体現して語るさまざまの言説と、それを構成する概念の意味とその変容なのである。概念の意味が変容するのは、概念の何か神秘的本質によるのではなく、言語使用者が、発現した矛盾をそのままにせず、矛盾を取り除くために概念を再定義するからにすぎない。人々が取り交わす言語活動を、そこで語られる物そのものの運動のように見なしてしまう「唯物弁証法」は、それ自体が物象化の産物なのである。

（10）例外は、古代ギリシアのポリスである。そこでは市民はささやかな独立自営農でありながら、自由な言論（イセーゴリア）が保証され、ポリスという社交の場が用意されていた。

（11）トクヴィル［1978］『旧体制と大革命』参照。これらに描かれた土地貴族をアメリカ南部同盟の大地主層と比べてみるのが示唆的であろう。南部諸州は奴隷制が広がるにつれ、発展が阻害されたばかりでなく、荒廃が進んだことが知られている。エドマンド・ウィルソン［1998］『愛国の血糊』のオムステッドの旅行記について書かれている章参照（151頁以下）。

（12）西田幾多郎は『善の研究』において、主客未分化のまま経験される行動の直観的意識を「純粋経験」と呼び、概念的作為が及ぶ以前の経験のあり方としている。それはあらゆる躊躇や葛藤もなく一気呵成になされる筆の運びのように、あるいは弓道の名人の無心の一射のように、行為的意識―無意識の混然たる統一体である。この説はベルクソンの「純粋持続」の説の強い影響のもとに形成されたものであり、共に無意識と意識の連続を含んで達成される経験の時間的統合を含んでいる点で似ている。フロイトの意識は、それに比べて、行動のつまずきや適応不全から生じるものであり、達人的・調和的達成とは正反対のところに置かれている。

（13）これがフロイトの悪名高き「汎性欲説」（pan-sexualism）と言われるもの。だがその実像は、人間的行動を生物学的生理に還元するものであるどころか、言語的存在としての人間の特異性に注目するものである。

（14）我々はもちろん、ガザを取り囲む高い壁やベルリンの壁を、ジェリコの壁と呼ぶ文脈の自由ももっている。注目すべきことは、ジェリコにおいてユダヤ人は壁の外にいたが、ガザにおいては壁の内側に守られていることである。このように、文脈の自由は簡単にイデオロギー（例えばシオニズム）の壁を超える。ちなみに「神的暴力」の典型は、ハインリヒ・フォン・クライスト［1996］『聖チェチーリエまたは音楽の魔力』に、この上なくくっきりと描かれている。我々としては、ベンヤミンの考えを理解するためには、彼自身が挙げた例（「プロレタリア・ゼネスト」など）よりも、このクライストの作品を参照することを勧めたい。

(15) 原作は漫画であるが、ここでは漫画版とアニメ版とを区別せずに論じる。

(16) ヨブは、神に対する自らの苦悩の問いかけが、実はせっぱ詰まった神からの問いかけであり召命であったのだと自覚する。その瞬間、ただ嘆きつつ神からの答えを待っていてはならず、神からの問いかけに創造的・能動的・冒険的に答えるために決起することこそ、自分自身の責任なのだと気づくのである。それは、垂れ流された公害廃液によって崩壊しつつある世界を前に、神ご自身が茫然自失する中で、世界を立て直すという重大な政治的責任を、神に代わってヨブが担うことを意味する。神の問いかけに応えて召喚されたこれらのヨブたちにとって、あらかじめ何が正解か決まっているわけではない点(問題解決の反実在論)が重要である。ここに、これらの「政治的エリート」たちの自由の余地が存在する。とはいえ、彼らには勝手に青写真を描くべき白紙の未来が与えられているわけではない。瓦礫となって横たわる伝統の断片と、敗北を重ねてきた死者たちの委託の中で、かすかにつながる文脈の自由が残されているにすぎないのである。文脈の自由は、思うままに文脈をつけることができるということではないのだ。それはさながら、ジョークのつもりで発せられた言葉が、実際に適切な発話条件の下で発せられたかどうか、したがってジョークとしての効果を果たすかどうか、事前には明確でないようなものである。

ちなみに、苦難の意味を問うヨブの問いは、創造者としての神の意志という思弁的想定に基づくものに過ぎない、とも思われよう。ヨブの苦難に対する神の沈黙は、その意味についてヨブに考えさせるためであるというような神学的解釈は、神の意志を前提としている、しかし神が存在しなければそこに何の意味もありはしない、と考えることも同程度に合理的であろう。意志を持つ神と違って、自然環境は、いかなる作用に対しても、法則的・恒常的な応答をなすであろう。不運は、いかなる罪に対する罰でもなく、環境への不適切な対応に過ぎない。このような態度は、ほぼスピノザのものと言ってよい。スピノザはエデンの園における神による禁止を、単に有毒な果実を食べないようにとの勧告に過ぎないものと見る([1958]『スピノザ往復書簡集』書簡19「アダムに対する〔神の〕命令はただその木の実を食べることが死を結果するということを神がアダムに啓示したという点にのみ存します」)。つまり、スピノザにおいて倫理は、環境適応以上の意味を持たない。しかしこのようなことは、環境世界に規定された生物には妥当するとしても、良くも悪くも環境を大胆に逸脱する人間には妥当しない。人間存在にとってのみ、世界に単なる適応にとどまらない本来の問題と問題解決が存在するのである。そして、問題解決がさらなる問題を生み出すのが人間の常なのだから、したがって問題はすでに先行する問題への多少とも人為的な手当ての結果なのであるから、たいていの問題は何らかの倫理的意味を帯びて現れざるを得ないのである。丁度、森林伐採の結果起こった洪水を、天候のせいとばかりに放置できないようなものである。したがって「神の沈黙」の意味を問うヨブの問いは、依然としてその倫理的・政治的意味を失わない。一般に倫理の規範性の基礎付けが求められる場合、他者の意志（神や共同体の意志）に求める議論（たとえばレヴィナス）と自分の意志（良心や理性の要請）に求める議論（たとえばロールズ）がある。しかし、問題が解かれるべきであるという規範性は、そのいずれでもなく、いはばその中間であろう。そのことは、突然襲いかかる苦悩というトラウマ的体験から、その意味への問いを立ち上げ、その意味の到来を待望するという能動性へと変貌させ、ついには（神への問いかけが神からヨブへの問いかけであり、ヨブの渇望が神御自身の渇望であることを知ることによって）その問いが問いの解決そのものであることを認識してゆくヨブの姿に、この上なく印象的に描かれている。

(17) 水の描写に強いこだわりを持つのは水崎ツバメであるが、この3人が雨に降られて銭湯に入る場面でも、ツバメは銭湯の水の動きに執着している。ちなみに、3人の少女の裸が描かれるこの場面で、彼らの第二次性徴がほとんど無視されているのは、痛快なほどである！　こんなところにも、この作品を凡庸な他の作品から際立てる批評性が光っている。

参考文献

アドルノ、テオドール・ヴィーゼンドンク［1970］『音楽社会学序説』渡辺健・高辻知義訳、音楽之友社
同［1979］『楽興の時』三光長治・川村二郎訳、白水社
同［1990］『啓蒙の弁証法』徳永恂、岩波書店
同［1996］『プリズメン』渡辺祐邦訳・三原弟平訳、ちくま学芸文庫
荒谷大輔［2018］『ラカンの哲学』講談社メチエ選書
アリストテレス［1970］『トピカ』村治能就訳、岩波書店
アレント、ハンナ［1972］『全体主義の起源』大久保和郎訳、みすず書房
同［1987］『カント政治哲学の講義』浜田義文訳、法政大学出版
同［1995］『革命について』志水速雄訳、ちくま学芸文庫
イシグロ、カズオ［2008］『わたしを離さないで』土屋政雄訳、ハヤカワ文庫
ウィルソン、エドマンド［1998］『愛国の血糊』中村紘一訳、研究社出版
ヴォルフ、フィリップ［2000］『ヨーロッパの知的覚醒』渡辺昌美訳、白水社
牛島信明［1989］『反＝ドン・キホーテ論』弘文堂
江川卓［1986］『謎とき「罪と罰」』新潮選書
大童澄瞳［2017］『映像研には手を出すな！』小学館
片岡一竹［2017］『疾風怒濤精神分析入門』誠信書房

木田元［２０００］『ハイデガー「存在と時間」の構築』岩波現代文庫
クライスト、ハインリヒ・フォン［１９９６］「聖チェチーリエあるいは音楽の奇跡」『チリの地震――クライスト短編集』種村季弘訳、河出文庫
ゲーテ、ヨハン・ヴォルフガング［１９５８］『ヴィルヘルム・マイステル』（筑摩世界文学大系20）、関泰祐訳、筑摩書房
小林秀雄［１９６８］『様々なる意匠、Ｘへの手紙』角川文庫
シェイクスピア、ウィリアム［１９９６］『ハムレット』松岡和子訳、ちくま文庫
スタンダール［１９３４］『赤と黒』桑原武夫・生島遼一訳、岩波文庫
スピノザほか［１９５８］『スピノザ往復書簡集』畠中尚志訳、岩波文庫
セルバンテス［１９９９］『ドン・キホーテ』（前篇・後篇、全６巻）牛島信明訳、岩波書店
高橋是清［２０１８］『高橋是清自伝』（上下巻）中公文庫
田川建三［１９６８］『原始キリスト教の一断面』勁草書房
田島正樹［２０１３］『古代ギリシアの精神史』講談社選書メチエ
デイヴィドソン、ドナルド［１９９０］『行為と出来事』服部裕幸・柴田正良訳、勁草書房
ドーキンス、リチャード［２０１８］『利己的な遺伝子』日高敏隆・岸由二・羽田節子・垂水雄二訳、紀伊国屋書店
トクヴィル、アレクシス・ド［１９９８］『旧体制と大革命』小川勉訳、ちくま学芸文庫
ドストエフスキー、フョードル［１９３４］『悪霊』米川正夫訳、岩波文庫
同［１９９９］『罪と罰』江川卓訳、岩波文庫
パスカル、ブーレーズ［１９６６］『パンセ／小品集』（世界の名著24）、前田陽一ほか訳、中央公論社
ハスキンズ、チャールズ［２０１７］『十二世紀のルネサンス』別宮貞徳・朝倉文市訳、講談社学術文庫バルザック、オノレ・ド［１９７３］『あら皮』（バルザック全集３巻）、山内義男訳、東京創元社

同［1974］『ゴリオ爺さん・老嬢』（バルザック全集8巻）、小西茂也ほか訳、東京創元社
同［1974］『モデスト・ミニョン』（バルザック全集24巻）、寺田透訳、東京創元社
ピレンヌ、アンリ［2020］『ヨーロッパ世界の誕生』中村宏・佐々木克己訳、講談社学術文庫
フッサール、エドモンド［1976］『「幾何学の起源」ジャック・デリダ序説』田島節夫・矢島忠夫・鈴木修一訳、青土社
フローベール、ギュスターヴ［1939］『ボヴァリー夫人』（上下巻）、伊吹武彦訳、岩波文庫
フロイト、ジークムント［1970］『フロイト著作集4巻』懸田克躬訳、人文書院所収
同［2007］『フロイト全集〈4〉1900年――夢解釈1』新宮一成訳、岩波書店
プルースト、マルセル［2010］『失われた時を求めて1――スワン家のほうへI』吉川一義訳、岩波文庫
ヘーゲル、G・W・F［2017］『美学講義』（叢書・ウニベルシタス）、寄川条路ほか訳、法政大学出版会
ヘルダーリン、フリードリヒ［1966］「ヒュペーリオン」『ヘルダーリン全集3巻』手塚富雄訳、河出書房新社
同［1966］「パトモス」『ヘルダーリン全集2巻』手塚富雄訳、河出書房新社
ベンヤミン、ヴァルター［1994］『暴力批判論』野村修訳、岩波文庫
同［2001］『ドイツ・ロマン主義における芸術批評の概念』浅井健二郎訳、ちくま学芸文庫
ホメロス［1994］『オデュッセイア』松平千秋訳、岩波文庫
マルクス・カール［1956］『経済学批判』武田隆夫・遠藤湘・大内力・加藤俊彦訳、岩波文庫
丸山眞男［1952］『日本政治思想史研究』東京大学出版会
同［1995］「盛り合せ音楽会」『丸山真男全集第三巻』東京大学出版会
マン、トーマス［1974］『ファウスト博士』関泰祐・関楠生訳、岩波文庫
村上春樹［2004］『風の歌を聴け』講談社文庫
メルロ＝ポンティ、モーリス［1970］『意味と無意味』永戸多喜男訳、国文社

同［１９７２］『弁証法の冒険』滝浦静雄・木田元・田島節夫・市川浩訳、みすず書房
モムゼン、ヴォルフガング［１９９３］『マックス・ヴェーバーとドイツ政治１８４０〜１９２０』安世舟・五十嵐一郎・田中浩訳、未来社
山城むつみ［２０１６］『ドストエフスキー』講談社
山田晶［１９８６］『アウグスティヌス講話』新地書房
吉川浩満［２０１４］『理不尽な進化』朝日出版社
ラカン、ジャック［１９８７］『精神病』下（セミネールⅢ）小出浩之・鈴木國分・川津芳照・笠原嘉訳、岩波書店
同［２０００］『精神分析の四基本概念』（セミネールⅪ）小出浩之・新宮一成・鈴木國分・小川豊昭訳、岩波書店
ルーベンスタイン、リチャード［２００８］『中世の覚醒』小沢千重子訳、紀伊国屋書店
ルカーチ、ゲオルク［１９７５］『歴史と階級意識』城塚登・吉田光訳、白水社
同［１９９４］『小説の理論』原田義人・佐々木基一訳、ちくま学芸文庫

著者紹介

田島正樹(たじま・まさき)

哲学者、元千葉大学文学部教授。1950年大阪生まれ。東京大学教養学部フランス科卒。同大学院博士課程哲学専攻修了。主な著書に、『ニーチェの遠近法』(青弓社)、『魂の美と幸い』(春秋社)、『正義の哲学』(河出書房新社)、『古代ギリシアの精神』(講談社選書メチエ)など。

人文知の復興 3

文学部という冒険

文脈の自由を求めて

2022年2月4日　初版第1刷発行

著者　田島正樹

発行者　東 明彦

発行所　NTT出版株式会社
〒108－0023
東京都港区芝浦3-4-1　グランパークタワー
営業担当　電話 03-5434-1010　ファクス 03-5434-0909
編集担当　電話 03-5434-1001
https://www.nttpub.co.jp

装丁・本文デザイン　松田行正＋杉本聖士

本文組版　キャップス

印刷製本　中央精版印刷株式会社

ISBN 978-4-7571-4359-3 C0090

刊行のことば

科学技術の急速な進展と産業の発達によって、人間の生活全般における身体的な負荷は驚くほど低下した。われわれは楽に、早く、遠くへ、そして多くのことを成し遂げられるようになった。人間は、小さな体からとてつもない巨人へと成長を遂げたかのようである。だが肉体の膨張は、人間の内部・外部にさまざまな空隙と亀裂を生み出しており、その空隙は何かによって満たされることを強く求めているように見える。

改めて意識すべきは、科学と技術という個別の分野での発見や革新が、人類の全体としての進歩を必ずしも意味しないということだ。ジグソーパズルの一部を精緻に仕上げても、全体がいかなる絵柄になるのか知ろうとしない限り、社会の進歩について語ることは難しい。われわれは肉体、精神、物質のバランスに留意しつつ、「事実」を出来うる限り全体の文脈のなかで学ぶ知的誠実さを持たねばならない。と同時に、理想を抱き、「想像力」によって、さまざまな変化に倫理的誠実さを持って対応することも求められる。

シリーズ「人文知の復興」は、古典を含む人文学や社会科学の遺産から、改めて「人間とはなにか」に迫り、現代社会が生み出している精神の「空隙」を満たすための一助として企画された。人間という謎、その人間が織りなす社会と向き合いながら、人文学、そして社会科学の役割、その重要性と面白さを広く読者に伝えたいという思いから、熱意あふれる執筆陣が自由なテーマとスタイルで読者諸兄姉に問いかけている。

学生だけでなく、現役で社会活動に携わる方々、引退生活の中で来し方を振り返る人々にも、本シリーズが、善き生、善き社会を考える縁(よすが)となれば幸いである。

二〇二一年春

猪木武徳